FOOD FOR THOUGHT
布丁国的酋长

[英] 安妮·格雷
(Annie Gray) 编著

朱红梅　丁林棚　译

中国出版集团
中译出版社

目录

导读

民以食为天。饮食是人类赖以生存的基础，人不吃饭就活不下去。无论是一日三餐，还是酒席盛宴，吃饭存在于我们的日常生活，根植在我们的文化和思维之中，塑造了我们的本质特征——如何吃，吃什么，这两个话题经久不衰，对其看法总让我们谈论不休、牵肠挂肚。

本书收集了有关饮食的一些文章，大体包含了英国以及受英国影响的食物的一段发展历史，从中世纪末期在新大陆所发现的新型食材，到二战期间长达十四年的食物配给让英式菜系濒临消亡。从贵族豪门的筵席佳肴，到赤贫寒门的饥不择食；从城市里灯火辉煌、随时恭候的食品店铺，到荒远乡村的菜地农田。有的作者轻言默想，有的则居高临下；有的菜谱来自生活，有的出于幻想，有的是长期烹调和就餐总结的成果。这里有技艺精湛的大师傅，也有名不见经传的小厨子；有食客，也有赴宴者。虚构伴随着诗意，掺杂着怒斥，面对的是一位静观者。

把本书当成一次宴会：有的客人让你喜欢，有的令你仰慕，还有一些人你未必想再次见到，虽然彼时彼刻还算有趣。佳肴当然美轮美奂，礼仪也是无懈可击（至少对于实践这些礼仪的人来说）。你会随意加入谈话中去，再随意抽身出来；当席终人散，有些经历会让你难以忘怀。这，就是为什么食有所思。

特里马尔基奥的晚宴

选自《萨蒂利孔》

佩特罗尼乌斯

27—66

虚构故事中最为著名的一场宴会，由盖乌斯·庞培·特里马尔基奥举办的那场盛宴，是对奢靡的嘲讽。作者佩特罗尼乌斯是尼禄时期的一位罗马作家和贵族，《萨蒂利孔》只留下了片段。故事说的是恩可比乌斯、他的朋友和奴隶恋人，如何从狂欢到争斗的过程。

盛宴的主人特里马尔基奥是被释放的奴隶，一个行为放荡的老饕，娶了一个做过舞娘的女人为妻。他的客人们喋喋不休地高谈阔论（谈论打猎游艺、自吹自擂，以及社会风尚的败坏），各自炫耀，主人一转身就对他进行人身攻击。这些做派跟过去的两千年间出现的那些糟糕的食客十分相似。

谈话很无聊，但菜肴的确不同凡响。在肚子里塞着活画眉鸟的野猪端上桌之前，客人们吃的是蜂蜜睡鼠、填有歌林莺的酥皮蛋，以及一套以星象为主题的菜肴，其中包括猪的子宫。接下来至少还有八道菜，最后是特里马尔基奥的模拟葬礼，以及叙述者受不了恶心逃席而去。

第三十九章

特里马尔基奥加入了这场闲谈，这时候菜已撤下，客人们怡然地品着酒，开始随意聊天，他躺在座榻上。“你应该畅饮这酒，”他说，“这样那条鱼就有的游了。不过我得说，你不会以为办这样的晚宴我就知足了吧？就像你看到那个托盘上写的：‘尤利西斯不是更出名吗？’好吧，好吧，我们不应该忘记我们的文化，即使是在晚宴上。愿我的恩主泉下安息，他想让我成为男人中的男人。没人能向我展示什么新意，那个小盘子证明了这一点。众神居住的那个天堂，会变成许多不同的星座——有时变成白羊座，因此凡生在这星座下的人，都会拥有许多羊群和羊毛、硬邦邦的脑袋、猥琐的额头、锐利的角。许多当老师的和闹嚷嚷四处钻营的小人都生在这个星象下。”我们为这位占星家的洞察鼓掌，他接着说：“然后整个天堂变成了一头牛犊，于是那些会踢的人、牧民，以及那些保证自己吃饱肚子的人来到了这个世上。双子座下生的是成群的马牛、性器超大的嫖客，还有那些把墙两面都涂上粪的人。我是巨蟹座，于是就有三头六臂，陆上海上都有很多资产，因为螃蟹水陆两栖游刃有余。所以我就不说这个星座什么了，别带坏我的运气。恐吓者和贪吃者生在狮子座；女人、逃奴、囚犯生在处女座；屠夫和香料商生在天秤座，还有那些喜欢处理事端的人；投毒者和杀手是天蝎座；看着蔬菜却拿走火腿的斜眼人是射手座；双手结满老茧的苦力们生在摩羯座；酒保和笨蛋生在水瓶座；宴会承办人和修辞家们生在双鱼座下。这世界就这么旋转，像个磨盘，坏事总转到顶上，人不是正出生就是快死了。至于中间的那些草皮和蜂巢，我做事从来都有根有据，大地母亲在中央，圆如鸡卵，这里可以找到所有美好事物，就像在蜂巢里一样。”

第四十章

“太棒了！”我们大声喝彩，双手高举对天发誓，即使希帕库斯和阿拉图斯这样的人也不能和他相比。终于，几个奴隶走了进来，他们在座榻上铺上一些罩布，上面绣着捕猎网，猎人们拿着野猪矛和各种狩猎用具在狩猎。我们不知道下一步该看什么，直到餐厅门外传来一阵可怕的骚动，突然几条斯巴达猎犬开始围着桌子跑来跑去。它们后面跟着有人端上来一个托盘，盘上放着一头巨大的野猪，头上戴着自由帽，獠牙上挂着两个棕榈纤维编织的小篮子，一个篮子里装着叙利亚枣，另一个篮子里装着底比斯枣。野猪身边挂着用酥皮点心做成的小乳猪，表明这是一头正在哺乳的母猪。原来这些是打算让大家带回家的纪念品。分割野猪肉时，曾为我们分割阉鸡的厨师朋友并没有出现，代替他的是一个留络腮胡的大块头，腿上缠着带子，穿着一件织有图案的狩猎短斗篷的人。他拔出猎刀，猛力刺向野猪的腹部，几只画眉从裂缝中飞了出来。猎鸟人准备好了他们的棍子，很快就抓住了在房间里飞来飞去这些画眉。特里马尔基奥给每位客人都分了一个，并说："瞧这头林中长大的野猪吃的是多好的橡子。"在他说话的时候，奴隶们从獠牙上取下了小篮子，给食客们平分了叙利亚枣和底比斯枣。

第四十一章

现在转头来说说我自己。我想知道为什么这头野猪戴着顶自由帽，猜了上千种理由都说不通，只能试着去问那位情报官。“哦，这简单，”他答道，“你家奴隶都能说明白，没什么神秘的，一切都清清楚楚！这头野猪作为昨天晚宴的最后一道菜上场，客人们把它给打发了，今天它作为一个自由人返场了！”我暗骂自己太蠢，不再问任何问题，生怕让人觉得自己没跟上等人一起吃过宴席似的。我们正说着，来了一个俊秀少年，头戴葡萄叶和常春藤，拿着一个小篮子，给大家发葡萄，扮演着快乐的酒神、喝醉的酒神、做梦的酒神，同时还尖着嗓子背诵他主人的诗作。

特里马尔基奥对他说：“狄奥尼索斯，你自由了。”那少年立即从野猪头上抓起帽子，戴在自己头上。特里马尔基奥又说：“要知道我父亲的中间名就是自由（Liber）！”我们为他的俏皮话热烈鼓掌，亲吻那走过来的少年。吃完这道菜，特里马尔基奥去蹲马桶了。这位暴君一走，我们就自由行动了，拉着其他客人畅聊。达马要了一碗酒，开口说道："白天没问题，到了晚上就感觉到了，于是最好就是从床上爬起来去餐厅。天气这么冷，我泡在浴缸里都不暖和，可是喝上一杯热酒就跟穿上一件厚大衣一样。我已经喝了好几瓶了，我只告诉你，我现在有点晕乎乎的——酒劲上头了。"

图尔奈式煎饼

选自《巴黎家居手册》

无名氏，1393

随着罗马帝国的崩溃，其曾经的殖民地失去了许多有关食物的知识。在接下来的几百年里，新的贸易路线开辟出来，在第一批现存的烹饪手稿出现时，一种新的烹饪方法已经发展起来，它可能和罗马人的烹饪方法一样复杂，但具有不同的技术和风味。14、15 世纪的许多食谱是我们今天仍在烹饪的菜肴的前身。

据说，《巴黎家居手册》是一位巴黎富翁为他的年轻新娘写的，里面有一系列的建议。这本书的优点是指导意见写得非常清晰，比如这里节选的关于黄油的用法。难得有作品把仆人的作用突显出来，但无论是谁在不断地揉面，或是在不厌其烦地搅拌面糊，反正都不是那位新娘读者。

首先，你得准备一个一夸脱容量的平底锅，铜的或者黄铜的。平底锅的口不能比底部宽，或者只能宽一点点；平底锅的侧面要有四个或三个半手指高。其次，放入咸黄油，熔化，撇去浮沫，去掉杂质，然后倒入另一个平底锅，但要把盐留在原先的平底锅里。在新锅里加入尽可能纯净的新鲜脂肪，然后把鸡蛋煎一下，去掉一半的蛋白，把剩下的蛋白和蛋黄打匀，然后取三分之一或一夸脱温热的白葡萄酒，把所有这些材料混合在一起。然后加入最好的面粉，一点一点把它们打匀，这活计能让一两个人累得不行。搅拌好的面糊应该不稀也不稠，能轻轻地流入小手指那么大的孔里。然后把同样分量的黄油和脂肪一起放在火上，烧沸，接着把面糊拿出来，倒一些在一个碗或木制的大匙里，倒进脂肪中。先倒在平底锅的中间，然后转动锅，让油脂润满锅底；要不停地搅拌面糊，这样可以做出更多的煎饼。用筷子或叉子把摊出的每个煎饼翻过来加热，然后铲出来，放在盘子里，再开始摊下一个；记住要一直不停地搅动剩余的面糊。

烹调书

节选

无名氏《烹调书》

《烹调书》是用英语编写的最古老的食谱集之一，是理查德二世的御厨们汇编的食谱卷轴。此书有很多版本，不尽相同，直到 1780 年才整理出版。

本书古英语书名的含义大体是“烹饪方法”。书中的食谱从简单的汤羹和沙拉酱，乃至制作复杂、往往只供观瞻的御宴珍馐，无所不有。常用的食材有橄榄油、生姜和肉豆蔻，还有比较罕见的鼠海豚[1]、神香草和鹿内

① 由于过度捕猎及环境污染，鼠海豚已成为濒危物种。

脏。杏仁酪那道菜是把米饭和鸡肉一起捣碎，混合杏仁奶、糖和香料（白香粉是各种香料的混合物，调制好了随时备用）。

第十四
杏仁酪制法

取大米，清洗后，在杏仁奶中煮沸，至米粒裂开，然后冷却。把母鸡或阉鸡肉切成丝或碾细。然后加入少量油煮沸。取杏仁，沸水烫过，去皮，再取藏红花，洒在盘子上，即可上桌食用。

第二十五
烤奶片制法

把甜牛奶倒入平底锅，取鸡蛋若干，将蛋清搅匀倒入，撒上番红花，煮沸直到变稠，然后用圆筒滤出，在板上压平，冷却后，添加猪油，用剪刀剪碎或切成细条，放在烤架上烤，即可上桌食用。

邀客赴晚宴

本 · 琼森

1572—1637

本·琼森是都铎王朝晚期最著名的剧作家和诗人之一，曾从事多种职业，在军队、监狱干过，还做过桂冠诗人。他创作了詹姆斯一世的几场宫廷假面剧，常与伊尼戈·琼斯合作（琼斯设计布景）。伊丽莎白一世去世后，苏格兰的斯图亚特王朝正试图以自己的风格影响英国宫廷，这几场假面剧为新王朝设定了基调。

在宫廷飞黄腾达需要强大的人际关系。彭布罗克伯爵威廉·赫伯特是琼森最坚定的赞助人，这本集子，或者说这首诗，是献给他的。这里提到的食物不是豪门珍馔。头道是清口的橄榄，然后是浸着柠檬汁的肉类、烤野味、糕点，最后是奶酪和水果，琼森笔下的饮食很低调。他甚至承诺不会喝太多——可能是因为普利和帕罗特（两名政府线人）在过去利用他的醉酒得了不少好处。

庄重的客人，寒舍与鄙人
在今夜恭候您大驾光临；
我们怎敢奢想让您降贵，
只是尊驾会让宴会增辉，
引宾客盈门，纷至沓来，
如此我们便已畅快开怀。
笑迎朋客是最大的趣事，
这绝世的盛会堪胜朵颐。
不过，您依然能酣赏甘饴，
品味橄榄、刺山柑和蜜汁；
奉上肥羊，佐以山中珍奇，
能产卵的苏格兰短腿鸡，
然后以柠檬、红酒作配酱，
金不换的野兔，随后奉上；
此时节珍禽难觅，却不妨
捉几只云雀，于苍天无伤。
容我细数、杜撰更多佳味，
山鹑、野鸡、丘鹬，诱你前来；

若有能力，还会一品塍鹬；
蠓虫、秧鸡、鲈鱼，一应俱齐。
有人朗读维吉尔、塔西陀，
李维那美妙书籍与传说，
我们觥筹交错，谈论思想，
而绝不会重复任何诗行，
如有名言佳句为我不知，
非出自书卷，而将是面食。
宴会有水果和消食奶酪，
喝一盅加纳利群岛的醇醪，
让我文思泉涌，独领风骚，
独享美人鱼酒馆的佳肴；
阿那克瑞翁，还有贺拉斯，
也曾品尝过这玉液琼汁，
他们的生命，如诗行一样，
意味如此深长，至今传唱。
烟草、花蜜，狄斯比斯之春，
如路德啤酒，令美宴甘醇，

我们自由享用，但要节制，
便不会有密探监视告密，
衔杯畅饮而不违反陈规，
彼此分别就如单纯相会，
今夜我们尽情享受，不要
让随口的话让明朝懊恼。

塞缪尔·佩皮斯日记

节选

塞缪尔·佩皮斯

1633—1703

最著名的英国日记作家塞缪尔·佩皮斯是一位剑桥出身的政府官员。他热衷寻欢作乐，热爱美食，写作内容极其诚实。尽管他只写了十年日记，内容却涵盖了17世纪最动荡的一些事件，包括君主制的复辟和伦敦大火。他的日记能将国家大事与日常琐事穿插在一起，由一个对生活充满激情的人娓娓道来。

节选的段落很典型：接待来访者、出门拜访、工作、瘟疫过后去查看人们是否还活着。此外也有对女性动手动脚的叙述，佩皮斯痴迷此道，同时也为之苦恼（早期出版的版本删除了许多跟性相关的内容）。食物则无处不在，包括本书节选中出现的凤尾鱼，是从西班牙引进的新品种。中世纪烹饪的甜酸口味开始转向更多的风味。这里所说牛舌指小牛的舌头。

1660—1661年。辞旧迎新之际，我住在海军部的公寓里；身为一名要职军官，我已经住了大约半年。在和服务人员闹了很多矛盾之后，我现在差不多算安顿下来了；我的家人，有我妻子、简、威尔·赫尔，还有简的弟弟维恩曼。我身体一直很好，容光焕发，神采奕奕。愿全能的上帝保佑我永远如此。我准备接我妹妹来住。关于国家大事——国王即位了，深受爱戴。约克公爵与大法官的女儿订婚了，这让很多人不以为然。王后与亨丽埃塔公主回法国了。奥兰治公主最近去世了，我们又开始服丧。我们最近被一桩大阴谋吓坏了，许多人都参与其中，到现在余波未了。议会曾经为国王干了那么多好事，现在开始拉帮结派了。国王于去年12月29日解散了议会，新议会很可能很快选出。我现在认为自己的身价为300英镑，所有的购物款项和各种债务都已付清，什么都不欠。

1660—1661年，1月1日。早上摩尔先生来访，他带来上个月我需要签的单据，让我欣慰的是，我的酬金将达到80英镑，他的大约25英镑，这是他因债务免除而得到的，尽管其中根本没有因我而得的酬金。然后，我弟弟托马斯进来了，后面是我的父亲托马斯·佩皮斯博士、我的叔叔芬纳和他的两个儿子，他们来一起吃早餐（安东尼的独生子今早去世了，但他还是很有礼貌地来了，而且还挺开心）。我给他们准备了一桶牡蛎、一盘牛舌、一盘凤尾鱼、各种葡萄酒和北唐啤酒。我们一直很开心，直到十一点左右，他们走了。中午，我带着妻子坐马车到我表兄托马斯·佩皮斯家去。在那里，我们和我的父亲托马斯博士、斯特拉德威克表兄、斯科特以及他们的妻子共进午餐。在这里，我见到了他的第二任妻子，她礼貌周全，不过他家的正餐对他这样一个阶层的人来说真是糟糕又寒酸，里面除了常见的肉类什么都没有。今天国王在一位大人家用餐，离我们就隔两户人家。晚饭后，我带妻子去了白厅，把她送到皮尔斯太太家（今天本来应该在她家吃晚饭的）。我去了枢密院，摩尔先生在那里取了所有的钱，我和他去了皮尔斯先生家。我们今天看到约克公爵带着他的夫人来拜见女王，这是自那次出大事以来她第一次这样做；据说，女王现在接见时对她表现得很尊重很亲切。在那里，他把钱拿了出来，我数钱。数完之后，有一个装有

100 英镑的袋子掉在地上，钱滚得满房间都是，我担心丢了一些没找到。我离开了朋友们，去了我的恩主家，但他没回来。我把钱交给管家舍普利先生，向摩尔先生道了晚安，然后回到皮尔斯先生家，在那里和他们一起吃晚饭，在座的有事务长皮尔斯先生、他的妻子和我的妻子。我们烤牛头吃，但没烤熟，没法吃，还有一只母鸡不错。不过她是个荡妇，我不喜欢她家的饭菜。晚饭后，我让他们坐马车回家，然后我去了我的恩主家，在那里玩到晚上十二点，约翰·古兹、奈德·奥斯古德跟我们一起打牌。然后我跟舍普利先生去睡觉了。

6 月 29 日。起床上班，去了圣殿关，在那里约定晚上碰头谈事，步行回家。街上到处欢呼雀跃，庆祝葡萄牙人大胜西班牙人，一万人被杀，三四千人被俘，还缴获了很多大炮、装备、金钱，等等。奥地利的唐·约翰被迫带着一两个随从逃走了，这真是个好消息。从那里回家，在办公室待了一上午，然后乘船去了圣詹姆斯教堂，但今天不是圣日，没有活动。在公园里遇见了克里德先生，一起散了会儿步，谈了谈他的事，在威斯敏斯特大厅分手，然后又来到大厅，与莱恩太太交谈。谈得不错，说她从来没有像以前那样和任何男人出去过了，我只说了一句话，就让她和我一起去了莱恩酒馆。在那里我给她点了一只龙虾，摆弄她，摸遍了她全身，让她相信自己的皮肤是多么白皙美丽。事实上，她的大腿和小腿的确很白，但肥得吓人。我摸够了，不摸了。有人看到我们调情，在街上大声喊道:“先生！你为什么这么吻这位夫人？”他还朝我们的窗户扔了一块石头，这让我很恼火。但我相信他们看不到我怎么摆弄她的，于是我们分手了。我从后门走的，我想没人注意到。她向大厅走去，我向白厅走去，在那里我乘船和我的表哥罗杰以及戈兹伯勒先生到格雷客栈去见他的律师，罗沃思先生，一位非常优秀的人。问题是作为遗嘱执行人，我是否应该向戈兹伯勒发出授权令，让我重新确认她的遗产。抵押贷款是针对遗嘱人的所有行为执行的，但只有我能决定。我表兄说，他以前从未听到过这样的问题；另一个总是被问到，他以前从来没有听说被否定过，或犹豫过。他们的意见差别太大，足以使一个人放弃与法律打交道。所以他们同意把它交给萨金特·梅纳德。于是我们分手了，我从圣殿关坐船回家，到威·柏顿爵士那里，和他一起吃饭。他和他的夫人，还有约·明尼斯爵士今天见了东印度公司的人；他们刚来，却没有告诉我。他们去了伍尔维奇和德普特福德，做了很多生意。上帝保佑他们。然后回家，弹了好一阵子鲁特琴，然后和威尔一起读了一小段拉丁语，上床睡觉。但是，自从我妻子走了以后，我最近一直在滥用我对任何一个女人的好感，这让我感到羞耻，我将尽量避免。睡了。

11 月 24 日。起床，先去上班，然后去了伦敦，顺便在格雷斯街那家常去的牡蛎店，从老板娘那里买了两桶牡蛎。她在经历了瘟疫之后还活着，现在我们在疫后打听疫前的任何人都先问她。然后去了交易所，那里几个人都很忙，非常高兴看到交易所如此忙碌，希望下周还会宣布一次减税。离开交易所，我跟乔·史密斯爵士回家吃饭。先叫人去取了我的一桶牡蛎，虽然出自瘟疫曾经肆虐的科尔切斯特，但味道很好。这顿饭吃得过瘾，尽管是不邀自来。还有，上帝啊！看看我是怎么被招待的，像我这样一个出身卑微的人，这样的盛情款待简直是个奇迹。但这是上帝对我的莫大恩赐，也是上帝对我的奖赏——奖赏我吃苦耐劳，做事守时。晚饭后，科克船长和我谈了点事，然后我们带着另一桶牡蛎回格林尼治的家。用船把牡蛎送到潘宁顿太太那里，我俩上岸拜访了伊夫林先生，在那里与他进行了非常愉快的交谈。他给我看了一本海军司库的账本，还有他的曾祖父，百岁遐龄。我似乎非常喜欢这账本，他送给了我，我珍藏起来。他希望我能找到更古老的资料，比这还老。他还给我们看了几封伊丽莎白女王时代莱斯特老爷的信，这些信都是伊丽莎白女王和苏格兰玛丽女王亲手写的，还有一些其他显贵们的信件。但是，上帝！我想，他们当时写得多么简陋，用的是多么朴素的未经切割的纸。从那里，科克叫了他的马车来，我们去见了潘宁顿太太，在那儿坐着聊天，愉快地吃着牡蛎。之后我很晚才回到住所，上床睡觉。

鲁滨孙漂流记

节选

丹尼尔 · 笛福

1660—1731

丹尼尔 · 笛福是一位失败的商人，政治活动家，同时还热衷于启蒙民众。他也是一位多产的作家，著有小说、指南类书籍和政论小册子。他的作品涵盖多种体裁和风格，为许多不同的读者撰写，也为他本人创作。他的第一部小说《鲁滨孙漂流记》将他的许多信念编织在一起，探讨了宗教教育、个人责任和殖民统治等诸多主题。小说节奏紧凑，将游记与冒险交织在一起，一出版就大获成功。

这段选文展示了克鲁索在岛上的探索，发现了读者业已熟悉的外来作物。甜瓜可以在英国成活，但只能在玻璃棚里种植，柑橘也是一样。可可和甘蔗是加勒比群岛的主要作物。萌芽阶段的大英帝国，其领土已经包括了一些加勒比海岛屿。他们在这些地方种植了这两种作物，而且越来越依赖奴隶劳动。

我被困在这座荒岛上已经十个月了，我似乎完全失去了摆脱这种困境的一切可能。我坚信，从来没有任何人踏上过这片土地。现在，觉得对自己的这个落脚地已经心里有数之后，我有一个强烈的愿望，要更彻底地探索这个岛，看看我还能找到什么其他资源，目前我对此还一无所知。

7 月 15 日，我开始对这座小岛开展更详细的调查。我沿着小溪往上游走。我曾提到过，我把木筏带到了岸边。我走了大约两英里[①] 后，发现溪水没有涨得更高。这就是一条流动的小河，非常清新宜人，但是现在是旱季，河道里有些地方几乎没有水，至少，看上去没有足够的水充满河道。

在这条小溪的岸边，我发现了许多片宜人的热带草原或草甸，平坦、光滑，长满了草；在地势较高，溪水不会漫过的地方，我发现了大量的烟草，绿油油的，长得又大又结实。还有其他各种各样的植物，我对它们一无所知，

① 1 英里约 1.6 公里。

也许它们各有用处，但我并不知道。

我寻找木薯根，在那样的气候下，印第安人用木薯根做饼吃，但我一根也找不到。我看到了大片的龙舌兰，但当时并不认识这种植物。我还看到了好几株甘蔗，都是野生的，要想用来栽培的话也不够完美。这次有了这些发现就够了。我往回走，心里琢磨着该怎样去了解我能找到的任何水果或植物的用处和益处；但也无法可想，因为，简而言之，我在巴西的时候几乎没做过多少观察，所以我对野外的植物知之甚少，至少对我现在所处的困境没什么帮助。

第二天，16 号，我又沿着同样的路溯流而上。在走了比前一天更远的路之后，我发现小溪和草原到了尽头，这片田野的树木更加茂盛。在这里我发现了多种多样的水果，尤其是在地上发现了大量的甜瓜，在树上发现了葡萄。树上的确缠满了葡萄藤，成串的葡萄正当时，甜熟多汁。这真是令人惊喜的发现，我感到无比高兴。但我的经验告诉我，要少吃葡萄。我记得，当我在巴巴里上岸时，几个英国人因为吃葡萄而送了命，他们是那里的奴隶，吃了葡萄就发了高烧。但我发现这些葡萄有一个很好的用途，那就是把它们烤干或晒干，并像保存葡萄干一样保存起来。我认为，在没有葡萄的情况下，它们确实健康无害，而且可以食用。

我在那里过了夜，没有回我的住处。顺便说一句，这是我第一次在外面躺着。夜里，我带着我发现的成果，爬上一棵树，睡得很好。第二天早上，我吃了找到的果实，继续向前走，走了将近四英里。我可以从山谷的长度来判断这一点，一直保持在正北方向，在我的南北两侧都有一座山脊。

最后来到了一处开阔的地方，在这里原野似乎向西倾斜下去。有一股清泉从我旁边的山坡流出，流向另一个方向，向东流去。这片原野清新翠绿，生机勃勃，一切都郁郁葱葱，春意盎然，看起来像一个种植园。

我下坡走到那片清新的山谷边，带着一种隐秘的快乐，虽然还夹杂着其他痛苦的想法，去审视它，以为这都是我自己的，我是这片土地无可否认的国王和领主，我有占有权；而且，如果我能走出去，我可能会像英国任何一个庄园的领主一样完全继承它。我在这里看到了很多可可树、橘子树、柠檬树和香橼树，但都是野生的，很少结果实，至少那时候还没有。然而，我采集的青酸橙不仅好吃，而且非常有益健康。之后我把它们的果汁和水混合在一起，这样喝非常养生，非常清凉。

我发现现在我有好多果子要采摘好拿回家。我下定决心要储备一批葡萄、酸橙和柠檬，为即将到来的雨季做好准备。

为此我在一个地方收集了一大堆葡萄，在另一个地方收集了一小堆，又在一个地方收集了一大包酸橙和柠檬。然后，我每样都带了一些，往家走去，并决定下次带上一个袋子或麻袋，或者我能做的容器，把剩下的带回家。

因此，在探索了三天之后，我回到了家（我现在必须把我的帐篷和洞穴称为家了）。但在我到家之前，葡萄已经变质了。果实太饱满，汁液迸裂而出，果肉都坏了，没什么用处了。至于酸橙，它们安然无恙，不过我只带了几个回来。

第二天，也就是 19 号，我做了两个小袋子，返回去把采摘的果实带回家。但当我来到那堆葡萄前，却惊讶地发现，原本饱满圆润的葡萄，现在全都散开了，被踩成了碎片，被拖来拖去，有的在这里，有的在那里，还有很多被吃掉了。我由此得出结论，这是附近一些野生动物干的，但我不知道是什么动物。

不过，既然我发现既不能把葡萄堆成堆，也不能用袋子把葡萄装走，因为前一种方式会毁了葡萄，后一种方式会把葡萄压破，于是我采取了另一种方式——摘了许多葡萄，挂在树枝上，好让它们在阳光下晒干。至于酸橙和柠檬，我尽可能多地带了回去。

厨师指南

选自《仆佣指南》

乔纳森 · 斯威夫特

1667—1745

乔纳森·斯威夫特是都柏林圣帕特里克大教堂的院长，也是一位讽刺作家和小说家，因《格列佛游记》而闻名。《仆佣指南》是他的遗作，未完成，属于社会讽刺类文本。作品戏仿了日益增长的行为指南类书籍，提出的指南建议从令人不快到不道德乃至荒谬可笑，无奇不有。然而，这也为我们提供了一个极好的视角，让我们了解在18世纪早期英国的仆人中，什么是不可接受的，但可能并不罕见。

《厨师指南》表明了 18 世纪确立的性别差异——贵族总是雇佣男厨子，最好是法国人，但其他人都选择（更便宜的）厨娘。现在依然如此。这些弊端显而易见，深刻揭示了厨房的内部如何运作，从维护喷口到管理不同类型的水，不一而足。

本文中的“小费”指客人留给仆人们的赏钱。

虽然我并非不知道，有一种风气由来已久，那就是上等人会雇佣男厨子，通常还得是法国厨子；然而，既然我的文章面向的是包括各类骑士、乡绅和绅士的广大城乡居民，所以我这份指南的主要对象还是厨娘太太。不过，我所写的很大一部分可能对两种性别都有用；你很自然想到的是前者（男厨子），因为管家和你有共同的利益——你们得到的小费通常是相等的，当别的用人一无所获时，你们会得到报酬；晚上在家里其他人都上床之后，你们可以拿着你私藏的食物，一起去野餐；你的有利地位让你能够把家里的仆佣都收为朋友；你可以给少爷小姐这样一点那样一点的好处，赢得他们的好感；你俩之间的争吵对你们来说都是非常危险的，很可能会导致你们中的一个被赶走，在这种后果严重的情况下，也许在一段时间内，与另一个人和睦相处不会那么容易。现在，厨娘太太，我开始给你指示。无论你是在城里还是在乡下做厨娘，我希望你能在家里找一个仆人，每周一次在你睡前给你念这本书。我的这些指南是城乡皆宜。

如果你家女主人在晚饭时忘了家里有冷肉，你可别多管闲事去提醒她——很明显，她不想要冷肉。如果她第二天想起了，比如说，她没有让你做肉，肉就没有了。为了不撒谎，你就把这事交给管家或其他亲信处理吧，你自己上床睡觉去吧。

当家里有猫狗时，千万不要准备鸡腿做晚餐，因为猫狗可能会把鸡腿叼走。但是，如果碰巧家里无猫无狗，你也可以把鸡腿不翼而飞这事推在老鼠或一只没见过的灵缇犬身上。

要是因为擦拭盘子底部而弄脏你的厨房清洁球，那可就太不会持家了，可以用桌布擦啊，反正每顿饭都要换桌布的。

烤肉叉用过之后，不必清洗，留在叉上的油脂最能防止生锈，下次再用的时候，这些油脂还能使肉的内侧保持湿润。

如果你生活在一个富有之家，烧烤和烹煮这样的活计会有损你的职业尊严，这是你不该知道的事务。因此，把这项工作完全交给厨房的打杂丫头去做，以免主人家有失体面。

如果你去买菜，尽可能买便宜的肉，但是，你回来报账时，要尊重你主人的尊严，报出最高价格。这不过是正义之举而已，因为没有人能以购买的价格出售。我相信你可以放心地这么干，发誓说你出的钱不会高过肉贩子和家禽贩子要的价钱。如果你家女主人要你为晚餐准备一块肉，你肯定不会以为要准备整块肉，所以你可以把剩下的一半留给自己和管家。

好厨师不能忍受他们公正地称之为“摆弄”的工作，这种工作花费了大量的时间，却几乎看不出成效。例如，洗剥小鸟，需要用上各种手艺和杂七杂八，甚至用上两三个烤肉叉。顺便说一句，这是绝对不必要的，因为如果一个烤肉叉足以让一大块牛肉翻个身，却不能把一只云雀翻个身，那就太可笑了。然而，如果你家太太人不错，又担心一根大烤肉叉会把小鸟们弄碎，就把小鸟放在滴油盘里，烤羊肉或牛肉时，油脂会落在鸟身上，可以用来给它们上油，这样就节省了时间和黄油——有哪个像样的厨师会浪费时间去洗剥云雀、石栖鸟或其他小鸟呢？因此，如果你找不到女佣或家里的小姐来帮你，那就速战速决，要么把鸟烧焦，要么剥皮。皮相不好没关系，不影响鸟肉。

如果你去市场买菜，不要接受肉贩子送你的牛肉和啤酒。我认为，凭良心说，这无异于对你的主人不公。但是，如果你不赊账，总是能以现钱或手续费的形式接受这种额外待遇呢。

厨房的风箱总是坏的，只能靠吹气来生火。为了节省钳子和拨火棍，从你家太太的卧室借风箱，那里的风箱最不常使用，通常是家里最好的风箱。如果你碰巧弄坏了或给弄上了油脂，你就有机会把风箱完全留给自己使用了。

家里一定要有个厨房小厮，帮你跑腿打杂，下雨天替你去买菜，这样你就可以保持衣履整洁，让你的女主人觉得你更可信任。

如果你的女主人允许你吃厨房的东西，作为对她慷慨的回报，你要注意做肉时充分煮熟或烤熟。如果她自己要享用那块肉，你也要好好对待。炉火不能烧得不旺，可以让肉滴下的油，或者是碰巧化成油的黄油，催动一下火势。

上肉的时候，用木签把肉撑起来，使它看起来饱满肥润。偶尔巧妙地使用一根铁签，会让肉显得更硕大。

当你烤一大块肉时，只需注意中间的部分，把两端留着别烤熟，这样生肉部分下次还能用，还能省火。

当你清洗盘子和碟子时，把碗碟的边沿向内弯曲，使它们以后能盛更多食物。

当正餐比较简单，或者主人家出去吃饭时，一定要在厨房里把火烧得旺旺的，让邻居们看到炊烟，赞美你的主人持家有道。不过，如果家里来了很多客人，那就尽量少用煤，这样就会有很多肉烤得半生不熟，可以省下来第二天再做。

煮肉永远要用井水煮，因为有时候会没有河水或自来水，这时你家女主人看到肉的颜色与平时不同，就会责骂你，其实你毫无过错。

如果储藏室里有很多家禽，就让门开着，给那只可怜的猫一点机会，如果它是捕鼠能手的话。

如果你在下雨天也得去购物，就拿出你女主人的骑马兜帽和斗篷，保护好自己的衣服。

让三四个打杂女工经常在厨房听你调遣，你只需用碎肉、几块煤和煤渣给她们点报酬就行。

为了不让讨嫌的仆人进厨房，把卷线机粘在升降机上，好砸在他们头上。

如果一团煤灰掉进汤里，而你又不方便把它拿出来，那就好好搅拌，这样汤就会有很高明的法式味道。

如果你把黄油化成油了，不要担心，把它送上桌去，因为油比黄油更温和。

用银汤匙刮锅底和水壶底，以免留下铜的味道。

当你用黄油做酱汁时，要倒一半水，这样省黄油，而且更健康。

如果你的黄油熔化后尝起来有黄铜的味道，那是你主人的错，谁让他不给你买一个银平底锅。而且黄油是越少越好，镀新锡很贵的。如果你有银平底锅，但黄油闻起来有股烟味，那就怪炭不好。

能用手做的事就不要用勺子，以免磨坏你主人的盘子。

当你发现你不能在指定时间准备好晚餐时，把时钟往回拨，这样晚餐就能一分不差地准备好了。

不时地让一块烧红的煤掉进滴油盘里，腾起的烟雾会让烤肉味道很好。

你要把厨房当作化妆间，但在你不得不去操作间烤肉、缚紧家禽、择菜做沙拉之前，甚至在你上第二道菜之前，你都不能洗手，因为还有很多活计会让你的手污秽十倍。当你的工作都结束时，洗一次就足够了。

当你在烹煮、烘烤或炖煮食物时，我只接受一种打扮的方式，那就是梳头。它不会浪费时间，因为你可以站在炉子边，一手料理食物，另一只手梳着头。

如果碰巧梳下来的东西跟食物一起送上了桌，你可以放心地把过错归咎于任何一个惹恼你的脚夫。这些先生们有时挺坏的，如果你不给他们从锅里捞点油水，或是从烤肉上弄片肉，尤其是你把一整勺热粥泼在他们腿上，或是在他们的燕尾服上钉块抹布让他们去见主人的时候。

在烤肉或烹煮时，命令厨房女佣只用大煤块，把小煤块留给楼上的用火。第一块是用来给肉调味的，如果煤块用完了，而你碰巧有菜做坏了，你就说因为缺煤。此外，煤渣钳肯定会败坏你主人持家的品位，因为它们找不到混在新鲜大煤块里的那许多大片煤渣。因此，你可以用煤渣好好给肉调味，做一件善事，提高你主人的声誉，有时因为你对收煤渣女仆的照顾，还可以得到一壶啤酒作为奖赏。

你一上完第二道菜，（在一个大家庭里）晚饭前就无事可做了。因此，擦干净你的手和脸，戴上兜帽和围巾，和你的亲信们尽情玩乐到晚上九十点吧——但是要先吃饭。

你和管家之间要永远保持一种紧密的友谊，因为团结一致是你们双方的共同利益——管家经常想在你这里尝尝鲜，而你也常需要一杯好酒解解渴。但是，也要小心他有时会花心，因为他占优势地位，可以用一杯干葡萄酒或加糖的白葡萄酒来引诱女仆。

如果你在烤小牛肉，记住你的老相好管家爱吃牛杂碎，因此，把它放在一边，晚上享用。你可以说，杂碎被猫狗偷走了，或者你发现它被弄脏了，或者被苍蝇叮过。另外，其实这东西摆在桌上完全可有可无。

有时你让大家等了很久才吃上饭，而且肉做糊了，这种情况经常出现。你可以理直气壮地把错推到太太身上——谁让她催你赶紧做好晚餐，以至于你不得不呈上烤过头或者煮过头的食物。

如果你做的晚餐几乎每道菜都做坏了，你又有什么办法呢？那是因为脚夫进了厨房跟你捣蛋。而且，为了证明这是真的，你可以趁机发脾气，把一勺肉汤泼在他们的制服上。此外，星期五和悼婴节是一周中两个不吉的日子，都不可能有好运，所以在那两天，你有合法的借口。

如果你着急取下盘子，你得歪着拿，这样一打盘子就会一起摔落在调料台上，就在你手边备用。

为了省时省力，用同一把刀切苹果和洋葱。有教养的绅士们喜欢每样食物都带点洋葱味。

用手把三四磅黄油揉在一起，然后把它甩到调料台上方的墙上，这样你需要的时候就可以一条条撕下来用了。

如果你有一个银制的炖锅供厨房使用，我建议你好好地敲打它，让它黑不溜秋的。这是为了你主人的面子，因为它表明这户人家善于持家。把锅放在煤块上挤挤，腾出空间来。

同样，如果你被允许在厨房里使用一把大银勺，那就用不断的刮擦搅拌把勺磨掉一半，还常常高兴地说，这把勺子可真对得起我主人了。

当你早上把一团乱糟糟的肉汤、稀粥或类似的东西送到主人面前时，别忘了用拇指和两个指头捏起盐来放在盘子一边。因为，如果你使用勺子或刀尖，可能会有掉盐的危险，这可不是好兆头。在你捏盐前要记得把手指头舔干净。

《全套烹饪大全》前言

威廉 · 韦拉尔

1715—1761

乔治王时代是英国历史上一个繁荣的文化变革时期。它的贸易网络遍布全球，曾经被视为新物种的食材，如西红柿、辣椒、菠萝和土豆，正在获得认可。中世纪受近东影响的风味被遗忘了，当时的新潮菜肴是法国菜。这不可避免地出现了逆反，法国烹饪因其奢侈、复杂和昂贵而受到攻击。

威廉·韦拉尔是刘易斯白鹿客栈的主人，但他的地位要归功于纽卡斯尔公爵，在那里他曾在法国厨师皮埃尔·圣克鲁特手下工作。在白鹿客栈，他提供了两份菜单，一份是给公爵和他的亲信们的高雅口味，另一份是给小人物的。他还写了一本书，意在展示这种新风格有多伟大——以及作者有多伟大。不管厨娘娜妮的手艺有多差，都让人不能不怜悯她。

我曾多次被派去为附近一些最体面的人家准备正餐，对话通常是：“威尔（这是我的名字），我想让你今天为我准备一次午宴。”“先生，我会全力为您服务，请问有几位客人？”“嗯，大约十一二个吧。”“那么您希望我为您准备些什么呢，先生？您想让我给您买些什么？”“哦，”这位先生说，“这顿饭我完全交给你准备了，不过我会领你看看我的储藏室，这样你做预算更方便一些。那里有不少好东西，足以做两套主菜，一套有七道菜，另一套有九道菜，第二道菜再加三四道小菜就够了，那里还有一条好鱼可以用。”所以大家一致同意就这么办。但是，这位先生说：“你一定要用你自己的方式给我们做些好吃的，因为跟我们进餐的是都是高雅绅士。”我答应会尽力，并立即写下清单。双方都认可了。我下一步就是去跟厨娘太太说上一堆好话，商量做饭的事，因为这是她主人的命令，我应该给她做助手。我希望我们能达成一致。这位姑娘（我觉得应该叫她姑娘）很乖巧地问答说：“先生，无论我的主人或您命令我做什么，我都会尽我所能去做。”但是娜妮（我发现这是她的名字）很快就进入了一种状态，在这样的场合，这种状态经常发生。“请问，娜妮，”我说，“你把你的炖锅和其他炊具放在哪里了？”“噢，先生，”她说，“我们只有这个（指的是一个孤零零的、寒碜的炖锅，勉为其难算个锅），但它并不比一个木制的手盘更适合做炖锅。”嗯，我心里想，这可怎么办？这等于让外科医生尝试用一对起重三脚架做切开手术，或者用一把牡蛎刀剖开静脉，这跟我在没有合适工具的情况下准备正餐一样。这里既没有炖锅、汤锅，也没有其他有用的东西。那里确实有一个他们称之为煎锅的东西，但像我的帽子一样黑，锅的把手大的足以挡住厨房通道的一半。然而，稍做停顿后，我便赶紧叫人去把我的厨具取来。与此同时，娜妮和我继续尽可能地做着准备工作，以免浪费时间。厨具送来了，我们接着忙活，一切都还算可以忍受，时间还绰绰有余。但最后我想要一个筛子，我恳求娜妮给我一个。她很快就给了我一个，但是这叫什么筛子——我用手指摸了摸，发现糟透了。“娜妮，”我说，“这筛子不行，都是沙子。”她看了一眼，气得够呛：“我们家那个苏太不像话了，”她说，“她总是拿着我的筛子给她的脏楼梯铺沙子。”但是，娜妮是爱干净的，所以她把筛子往桌上使劲磕打了一下，大致是在通常放肉的地方，然后把筛子扔进了锅里。我想那个锅是平时家里炖猪肉和卷心菜的。她把筛子在锅里涮了涮，又递给我。筛子上沾的猪油足以毁了整个宴席，于是我不再说什么，但这筛子也不能用了。我用一张餐巾跟她的女仆朋友攀上了交情，她在旁边斜着眼睛看着，然后走了。她去后厨洗碗间，跟那些该死的男厨子打情骂俏，他们真是太殷勤了。我听见她说，如果筛子里的沙子比一枚六便士硬币上的沙子还多，我情愿挨揍。然而，她不久又回来了，我很快哄她开了心。“来吧，”我说，“娜妮，我要做一个焖鸡丁，看看我是怎么切的——我会教你做宴席的每道程序。”她看起来很专注。当我切完鸡丁后，我说：“你拿着那个刀，也用同样的方式切切看。”这姑娘还真把她的刀拿得很好，而且切得很漂亮。然后我教她下一步该怎么做，筛子带沙的事就这么过去了。然后我着手向她展示如何摆席面。现在，宴席都准备好，娜妮非常高兴，她说，在她看来，这是她见过的最精美、最出色的宴席。吃完之后，这家主人表示，如果我晚上有时间能来给他做两三样小菜吃晚饭，他会非常高兴，因为客人们都没走。他说，一定要再给我们做一次这样的焖鸡丁，这道菜已经得到了客人们的高度认可。于是我去告诉娜妮她可以做这道菜，她答应了。“但是，先生，”她说，“如果我做得不对，我希望你能告诉我。”不过一切如我所愿，现在娜妮是主厨。晚饭送上桌了，每盘菜都受到了热烈赞扬，他们一致认为，焖鸡丁比他们在午宴上吃的味道还要好。晚饭还没吃完，这位先生就来找我。“威尔，”他说，“我们希望你将要出版的书中有这道菜。”“是的，先生，”我说，“您今天吃的别的菜做法都是外来的。但是，先生，唯独这道菜是您自家的厨娘做的。”“我的女佣做了。”他说，于是他回到了客人那里。娜妮马上被叫来了，问了几个问题后，他们给了她些奖赏，感谢她精心准备的晚餐。然后我跟他们道了晚安，回家了。

母鸡小鸡果奶冻

选自《资深英国管家》

伊丽莎白 · 拉法德

1733—1781

伊丽莎白·拉法德接受过厨师培训，最终升级做了管家。她是一名企业家、餐饮服务商，并著有 18 世纪最好的烹饪书之一。婚后离职后，她做过客栈老板，开过家政服务登记所，开过烹饪学校和咖啡馆。她的婚姻并不幸福，丈夫是个酒鬼。

《资深英国管家》的目标读者是英国中上层阶级和那些为他们做饭的人。在当时不同寻常的是，这本书是根据她自己的经验得出的原创食谱写成，条理清晰，易学易做。

这本书讲的完全是烹饪，这也是不寻常的（寻常烹饪书里会讲到药物和香水），而果冻、果味牛奶冻和糖制品的神奇配方在今天烹饪时仍然令人瞠目结舌。这种配方依赖于专业模具，现在很难复制。

做一些蛋奶冻，在里面放一些甜杏仁，用巧克力把一小部分蛋奶冻涂成棕色，将之放在一个母鸡形状的模子里。然后把一个煮熟蛋黄尽量打细，给另外一些蛋奶冻上色，留下一部分白色蛋奶冻。然后将七只鸡的模具填满不同颜色的蛋奶冻，三只白色，三只黄色，一只用母鸡的颜色。等模具冷却后，把它们倒进一个深盘里。把柠檬皮煮一下，切成干草状，放置在蛋奶冻的下面和周边。然后在下面放一点透明的小牛脚果冻，使它们保持原位站立，直至变硬。然后用更多的果冻装满盘子。

这道菜可以给一张豪华餐桌增光添彩。

致海吉斯

罗伯特 · 彭斯

1759 — 1796

罗伯特·彭斯可能是最著名的苏格兰诗人。他开始是一位农场工人，并且一生中的大部分时间都是农民。他的诗人生涯在他 37 岁去世时结束。当时他既是一名税务官员，又在写作。然而，作为《友谊地久天长》这首歌的编者和最早的苏格兰诗歌和民歌支持者之一，他的名气在他去世后不断扩大，在 2009 年的一次民意调查中，他被选为最伟大的苏格兰人。

《致海吉斯》（海吉斯是苏格兰特色菜，由羊杂碎制成）绝对是一篇充满苏格兰风味的之作品，但也包含了一些更广泛的英国美食场景的比喻。第 5 至 6 节包括对法国食物的挖掘，也指出了时髦的富人和浪漫化的农民生活之间的对比。

你真诚、秀美的脸令我欢畅，
你就是布丁国的尊贵酋长！
你高高在上，令群臣仰望，
无论羊腹、羊胃，还是大肠：
你的尊贵令众人高歌颂扬，
就如同我的胳膊一样修长。

你充盈着热气腾腾的餐盘，
臀肉起伏，像遥远的山峦，
你的串肉棒也无比地刚坚，
在紧要时分不让磨坊倒坍，
蜜汁如露珠，渗过密孔间，
像琥珀色的念珠光色亮鲜。

看村夫拿起那铿亮的厨刀，
动作娴熟无比，自由精妙，
游刃有余，将你切成碎条，
刀尖游走内脏，劈沟挖壕，

让众人目睹你华丽的面貌，
热气升腾的气味如此美妙！

一勺又一勺，食客开始美餐，
他们唯恐落后，争抢着尝鲜，
直到一个个吃得小腹饱满，
如牛皮鼓一样撑得又硬又圆，
只待老东房心满意足地歌赞：
“感谢上帝没让我肚皮撑断！”

是否还有人守着法国炖肉，
或用烩菜让母猪满足胃口，
抑或用浓汁大肉让它作呕，
使它的厌恶和轻蔑无出其右，
却不可一世地轻视与嘲诟，
像海吉斯这样高贵的珍馐！

看那可怜虫吃着那堆泔水！

他身躯羸弱，如枯黄的芦苇，
摇摆的胫骨像细小的纺锤，
拳头如核桃一般柔弱颓萎，
在战场上奔跑，穿行尸堆，
此情此景，却是毫不般配！

我们勇猛强壮的乡间力士，
享受着美味无穷的海吉斯，
大地在他的脚下颤抖不止，
他们手拿砍刀，孔武有力，
在呼啸的风中，断腿斩臂，
砍头如麻，仿佛蓟丛触地。

任由心忧天下的权贵人士，
分发每日精心准备的美食，
不要用那稀汤淡水的异味，
来搅扰古老苏格兰的肠胃，
如果你想得到我们的感激，
就请端给我们一碗海吉斯！

塞缪尔·约翰逊传

节选

詹姆斯 · 博斯韦尔

1740—1795

塞缪尔·约翰逊是18世纪文学大师，他的朋友、仰慕者和旅伴詹姆斯·博斯韦尔为他写了一本传记，这本传记后来成为英国的著名传记之一。约翰逊是一个两极分化的人物——他的才识、机智和博学受到赞扬，但他给人们留下的第一印象却非常糟糕。小时候，他的身体因手术和疾病留下了伤疤，还要忍受可能由图雷特综合征引起的身体抽搐。他还是一个尖刻的批评家，并且有点儿贪吃。

正如博斯韦尔笔下塞缪尔·约翰逊的这段相当残酷的

经历所表明的那样，那些邀请约翰逊共进正餐、希望进行精彩对话的人可能会失望。18 世纪晚期的餐食有时会很庞杂，数十道菜同时摆在桌上，导致暴饮暴食。礼貌的标志是克制。或许，他的所有智慧都必须获得某种滋养。

今天吃晚饭时，他难得兴致勃勃地谈起美食。“有些人很蠢，不在乎或假装不在乎他们吃什么。就我而言，我非常用心、非常小心地注意我的肚子，因为在我看来，不在乎肚子的人几乎不会在意别的事情。”他现在在我看来似乎是让·布尔哲学的拥趸，不仅态度严肃而且言辞激烈。然而，在其他场合，我也曾听到他对那些急于满足自己胃口的人表现出极大的轻蔑，他的《漫游者》第 206 篇是一篇反暴食的文章。而事实上，我必须承认，他的行为可以说是与他的观点恰恰相反，因为我从没有见过比他更喜欢美食的人。吃饭时，他全神贯注埋头大吃，他的表情似乎跟他的盘子紧密相连，除非是一同用餐的人身份高贵，否则他不愿意说一句话，甚至对别人说的话毫不在意，直到他满足了自己的胃口为止。他的胃口又是如此之大，如此投入，在吃饭的时候，他的额上甚至青筋暴起，大汗淋漓。对那些感情细腻的人来说，这种吃相只能令人恶心。毫无疑问，对于以自控著称的哲学家，他这样放纵饮食似乎不太合适。但必须承认的是，约翰逊虽然可以严格节制饮食，但他在吃喝两方面都不愿适可而止。他可以克制，但不能做到恰到好处。他告诉我，他已经禁食两天了，没有任何不适，他一次也没感到饿。有人在各种场合惊讶地见过他大吃大喝（在餐食对他胃口的情况下），这些人很难想象他所说的饥饿是什么意思。他不仅因为吃得特别多而引人注目，而且在烹饪学方面，他还是一个很有鉴赏力的人，或者说，他被认为是一个很有鉴赏力的人。他过去常常批判性地描述他在餐桌上吃过的菜，并且非常详细地回忆起他喜欢吃的菜。我记得，当他在苏格兰时，他热情赞扬了“戈登的品味”（亚历山大·戈登爵士家的一道佳肴），他的这种热捧可以让更重要的事物增光添彩。“至于麦克劳林模仿的一道烩菜，那真是一次可悲的尝试。”同时，他对一位出身贵族的法国厨师的表现非常不满，竟会激动地喊道：“我会把这样一个无赖扔进河里！”然后，他发表了以下关于厨艺的宣言，以提醒一位邀请他去家里赴宴的女士：“夫人，我见识过多种多样的好宴席，我对烹饪的判断力，要比那些家里有个凑合的厨子、大部分时间待在家里的人要好得多；因为那些人的味觉逐渐适应了自家厨师的口味，而我，夫人，在更广泛的范围内尝试时，可以更精确地判断。”一方面，别人请他吃饭，即使请他的是一个密友，如果没有为他准备比日常饭菜更好的东西，他也会不高兴。我曾听他在这样的场合说：“这顿饭还行吧，但这并不是一顿请客人享用的筵席。”另一方面，当他受到称心如意的款待时，他习惯于高兴地表示自己的满意。有一天，我们和他的邻居兼房东在博尔特苑吃饭时，出版商艾伦先生，他的老管家研究了他对每一道菜的口味爱好，他发表了这样一句颂词：“先生，即使大厨云集，我们也不会有比这更好的筵席了。”

厨师宝典

节选

威廉·基奇纳

1775—1827

威廉·基奇纳是乔治王时期一位著名的、博学的休闲人士。他伪造学位证书，声称在格拉斯哥获得了医学学位，但他的确知识渊博，热情洋溢，并因光学领域的成就而当选英国皇家学会研究员。他创作了几部轻歌剧和烹饪作品，包括《厨师宝典》，至少有一部分内容是根据他自己在厨房的经验写成，包括洗碗和买菜。

这本《厨师宝典》有时会有点疯狂，像这里节选的一样，在一些无关紧要的话题上，或是鼓吹某些产品或想法上，发表长篇大论。基奇纳将医学、风味和实用性的思想炫目地融合在一起，确保了在英国和美国都成为畅销书。本书 1822 年在美国出版，并有多个版本发行。

长时间、悠闲地咀嚼，是提取食物精华、尽情享受食物滋味、让胃液轻松溶解食物的唯一途径。这种有益的习惯同样促进了味觉的愉悦和胃的健康，所有人都应该在婴儿期养成这种习惯。肉越嫩，我们可以吃得越多。吃固体肉所需的平均咀嚼次数为三四十下（根据肉的嫩度），这样咀嚼后的肉才适合进入食道；对于细嫩、易消化的白肉来说，咀嚼次数可以减少。精明的老饕必须精确地计算出这一点，不要把宝贵的时间浪费在无用的磕牙工作上，也不要因为忽视咀嚼而引起消化不良。我无法给出任何规则，因为这在很大程度上取决于受试者的咀嚼力度，尤其是牙齿和上颌腺的状态。每个人都应该确定这些有用器官的状况，并恰到好处地加以利用，这是每一个理性的美食家都会乐于从事的一项不可或缺的工作，只要他对自己的胃爱护有加。每顿饭后，应使用“牙齿保护器”（即一种非常柔软的刷子）清洁牙齿，然后用温水冲洗，尤其是在晚上。千万不要忽视这一点，没有什么比粘在牙缝里的肉食更能迅速腐蚀牙齿了。现在，牙疼病使得许多牙医都推荐病人用很硬的刷子，结果只要一刷牙，刷子都像柳叶刀一样吸血。这就不是“牙齿保护器”了，或者称为“牙龈出血器”更为恰当。

良好的消化来自咀嚼。只要好好咀嚼，几乎任何东西都可以安然进入胃里；没有咀嚼，消化就会不良，而且常常是不可能消化。记住，滋养我们的不仅是我们吃的东西，而且是我们好消化的东西。睿智的美食家永远牢记自己的座右铭：

“咀嚼、咬合、裹嚼、研磨和吞咽。”

他知道自己必须做好前四个动作，然后才敢尝试第五个。

注意：专利咀嚼器，圣詹姆斯街帕尔默杂货店有售。

论烤猪

节选

查尔斯 · 兰姆

1775—1834

查尔斯 · 兰姆主要以散文家的身份闻名，他和塞缪尔 · 柯勒律治、威廉 · 华兹华斯、罗伯特 · 骚塞等人组成了一个文学圈子。他为成人和儿童写诗和散文，经常与妹妹玛丽合作。然而，他最擅长的是随笔，题材广泛，既有亲身经历，又有虚构故事，还常常饱含哲思。

他的这篇《论烤猪》讲述了烤猪肉这个传说中的伟大发现：一个猪倌不小心烧毁了自家的房子，里面有他的猪。他在清理废墟时舔了舔手指。这一部分既是对美味的赞颂，也是对上流社会餐饮的狡黠暗讽，在上流社会餐桌上，烤猪显然是难得的珍馐。

在不过分相信上述说法的情况下，我们一定会同意，如果可以把放火烧房这样危险的实验（尤其是在现在）作为某种菜肴产生的恰当前提，那么这个前提和缘由最能体现在烤猪这道菜上。

在所有的美味佳肴中，我要保证它是最美味的——令人痴迷的佳肴之王。

我说的不是你们的那些已经长大的肉猪——介于猪和猪肉之间的东西——那些傻大个们——而是一只幼嫩的乳猪——还没满月——对猪圈还没觉得不适——发情这一上辈遗传的弱点还没显现——嗓门还没变声，而是介于奶声奶气和撒娇之间——是咕噜没有形成之前温和的先声，或是序曲。

乳猪必须烤熟来吃。我并不是不知道我们的祖先是煮或者炖来吃，但那种吃法真是可惜了乳猪的外皮！

没有哪种美味能比得上这种入口酥脆、色泽焦黄、照看得当、火候正好的小乳猪了。只要表皮刚有些开裂就可以了——咬开薄脆的外皮，这入口的膏腴能令齿颊生香——那附着的膏脂——千万别叫它肥油——是一种萌发中的、不可名状的甜美——温润的玉脂琼花——含苞未放就被采下享用——在最初的稚嫩纯真之中——小猪娃吃的都是纯粹的奶露菁华——他的瘦肉不柴，那简直是天赐的肉食甘露，或者不妨说，在他身上，肥瘦是如此均匀交融混合，共同造就了这样这一种神奇的美馔。

看啊，乳猪在火上烤着——他似乎接受的不是烧烤灼热，而是清新暖意。你看他绕着吊杆转得多么平稳！——现在烤好了。他表现出幼小年龄特有的极度感性，美丽的双眼都哭得突出来了——闪亮的晶体——像流星。

看看盛在盘子里的他，盘子是他的第二摇篮，他那么温顺地躺着——你怎能忍心让这小天真长大成一头粗野、懒惰的脏猪？十之八九他会变成一头贪吃、邋遢、执拗、讨厌的牲畜——沉湎于各种脏兮兮的勾当——它很幸运能被带离那些罪恶的境地——

罪恶将凋萎，悲伤会淡去，

死神及时赶来，照管一切——

他留在人们记忆中的是不散的余香——不会被做成咸肉，熏得人倒胃口，被下等人边吃边骂——也不会被塞进难闻的腊肠，让铲煤的苦力囫囵吞下——埋身在公正的美食家感恩的肚子里，总算有了一个宜居的墓穴——能得到这样的葬身之所也算死而无憾了。

他是各种美味的翘楚。凤梨也很了不起，不过她有点太超脱凡俗——她带来的口感，即使不算罪过，也跟犯罪差不多，心地柔软的人最好自觉避开——因为，对于凡人的品味来说，她那味道太迷魂夺魄，挨近她的嘴唇会受伤，会脱皮——像恋人的吻，会蜇人——她带来的美妙享受太过肆虐，令人发狂，几近痛楚——不过她的滋味也就停留在味蕾上——不会挑起食欲——真是饿狠了的人完全会拿她换一块羊排填肚子。

乳猪——我要唱他的赞歌——既能满足挑剔的味蕾，又能激发食欲。强健者可以狼吞虎咽，虚弱者也不会拒绝他醇厚的肉汁。

不像人类性格复杂，一大堆美德和恶习莫名其妙地交缠在一起，要想分拆清楚，必然会有危险，乳猪——从里到外都是好肉，没有哪部分比其他部分好点或者坏点。他以自己的小小身躯，处处为人着想。在宴席上只有他最不被挑三拣四。他是大家都可享用的美食。

我这个人，一向喜欢把自己享受到的好吃好喝慷慨大方地分享给朋友（像我这样的人并不多）。我敢说，对于朋友在饮食上的兴趣、爱好以及适当的满足，我就像对于自己的饮食一样关心。我常常说："礼物能缩短距离。"野兔、雉鸡、鹧鸪、家鸡（那"温驯的田园家禽"）、阉鸡、鸻鸟、猪肉罐头、成桶的牡蛎——我都是随手接来、随手送人。我喜欢让朋友的舌头先来帮我尝尝这些美食。然而，凡事适可而止。我们不能像李尔王那样"给出一切"。对于烤猪，我可恕不相让。在我看来，假如将这么一种可以说是命中注定、恰恰适合我的口味的天降珍品（在友谊或者别的什么借口之下）轻易送出门外、转赠他人，那对于把美味赐给人类的上帝来说简直是忘恩负义——可以说是麻木不仁。

圣罗南之井

节选

沃尔特·斯科特

1771—1832

沃尔特·斯科特是一位律师，也是一位多产且非常受欢迎的作家。作为定义苏格兰性的关键人物，他关注苏格兰作为一个文化实体的理念，因为当时苏格兰几乎没有独立的政治机构。他人脉很广，1822 年乔治四世访问苏格兰，他负责筹备。国王现身时身穿肉色紧身衣和方格呢短裙，游行队伍也是格子呢的海洋。

虽然斯科特经常被誉为历史小说体裁的创始人，不过他还是有三部小说的时间背景设置在了自己生活的年代，其中就包括《圣罗南之井》。这部小说是个悲剧，主题包括背信弃义、私自成婚和挥霍浪费，在当时并不受欢迎。然而，镇上旅馆的店主梅格·多兹的角色引发了许多人的想象，今天这部小说更多地与她有关，而不是故事本身。

这对贤夫妇（莫布雷家族的爱仆）是这家客栈最初的经营者，长期的生意兴隆让他们颇有家财。他们去世时留下了一个独生女。他们原是这家旅店的住客，后来渐渐成了客栈的主人，而且还得到了小溪边一块上好的草地。当圣罗南的莱尔德夫妇经济上手紧时，他们就把这块地零碎地处理掉，作为满足给某个女儿凑嫁妆、为小儿子付佣金等刚需的捷径。因此，当这位独生女梅格·多兹承袭父母遗产后，成了一位身价不菲的女继承人。因此，她有幸依次拒绝了三个殷实的农夫、两名小地主和一位马贩子的求婚。

很多人都赌那位马贩子会抱得美人归，但这些自以为是的人都上了当。梅格下定决心自己骑上头马，不要任何人做伴，以免有人自认为很快就能行使主人权利。因此，她享受着单身的幸福，像伊丽莎白女王一样，专制统治一切事务。这不仅适用于她的男女仆人，而且也包括进了她客栈大门的陌生人——如果他们胆敢反对梅格至高无上的意志和趣味，或希望得到不同于她所提供的食宿，那么他们会立即得到伊拉斯谟式的驳斥：“别的客人怎么不这样！”这句话让伊拉斯谟时代日耳曼所有客栈的抱怨销声匿迹，或者，正如梅格所说，“你去另一家客栈吧。”而另一家客栈距离梅格这家有十六英里远，因此被放逐的一方只能忍受店主的怒气，重新臣服在她的意志之下，别无选择。不过，为梅格·多兹说句公道话，尽管她的铁腕管理严峻苛刻，近乎暴虐，却不能称之为暴政，因为这么做都是为了房客们好。

老莱尔德家的酒窖，即使在他们家族拥有的时代，也没有装满过这么多这么上等的葡萄酒，唯一的困难是如何说服梅格去找你想要的那一种酒——补充一点，当她认为对客人已经“仁至义尽”时，常常会变得老大不耐烦，拒绝提供任何其他方便。这种时候，厨房成了她的骄傲和荣耀之地，她亲自监督每道菜的调制，有些菜她不让任何人插手。这就是韭葱鸡肉汤和调味牛肉酱，这菜的味道甚至可以与我们的老朋友、住在费里布里奇的霍尔太太家的牛仔肉排相媲美。梅格的桌布、床单等都是自制的，质量上乘，摆放整齐。对女仆来说，如果哪天梅格那双猞猁般的眼睛发现，她一贯强调的卫生严令遭到忽视，那就够这女仆累一天的了。事实上，考虑到梅格的风格和职业，我们永远无法解释她极端而一丝不苟的态度，除非我们认为这是她责骂女佣最合适、最频繁的借口，这是她展现自己雄辩口才和活力的锻炼机会，我们得相信这是一次她最喜欢的锻炼方式。

我们还是看看梅格是怎么算账的。在宴会结束时，梅格算的账，对这位刚起身的客人来说，常常减轻了忧虑，而不是让他伤心。早餐一先令，正餐三先令，包括一品脱老波特酒，一顿贴心的晚餐十八便士——这就是那个时代圣罗南的这家客栈老板娘的要价，即使已经进入 19 世纪了。他们曾虔诚地回忆起，她的先父收的钱还不到这数的一半，但在那个艰苦的时期，她这就算遵纪守法了。

尽管圣罗南的这家客栈拥有这些优良而稀有的房产，却与它所属的村庄一起衰败了。这是由多种情况造成的。公路绕过了这家客栈，街道的陡峭程度（驿站的人这样宣称）要了他们驿马的命。可以猜想，梅格断然拒绝用酒招待他们，也没同意他们拿喂牲口的谷物来换她的波特酒和威士忌，这对那些可敬的先生们的意见有着不小的影响。

其实只要稍微把路修平一点，就可以轻松上坡了，但他们没那么做。这条公路的改道所造成的伤害，让梅格很难原谅那些先生们，这些人大多数都是她小时候就认识的。“他们的父亲，”她说，“从来没有对一个孤女做过这样的事。”村里原来有一群佃主和小地主，他们以叽喳俱乐部的名义，一起来客栈喝点廉价啤酒，配白兰地或威士忌，每周至少喝两到三次。现在村里已经衰落了，这算是一点小小的损失。

老板娘的脾气和举止吓跑了那个阶层的所有顾客。他们不允许创意成为违反礼仪的借口，也不太习惯在家里受伺候，所以喜欢在客栈里扮大人物，能享受很多鞠躬、客气的言辞和致歉，来回应他们给予这所客栈、服务和娱乐“去你 × 的”的评论。想在圣罗南这家小客栈得到这种待遇的人，梅格·多兹只会以牙还牙。他们会很高兴，自己终于逃离了这里，眼睛没被抓出来，耳朵没像听到一场激烈的战斗那样几乎震聋。

天性直率的梅格注定有此遭遇。不过她高贵的灵魂却以此为乐，这从她的外表也看得出来，正所谓相由心生。她有一头黑灰相间的斑驳头发，当她情绪激动时，发绺很容易从她的亚麻软帽边上散落——她双手瘦长，指爪锐利——灰眼睛，薄嘴唇，身材壮硕，胸宽而平，气势很壮，嗓门比一堆卖鱼妇加起来都大。她情绪好点的时候，会说自己是刀子嘴豆腐心，但是，什么样的利齿能配上这样的毒舌？发动起来的时候那嗓门从大教堂到圣罗南城堡都能听到。

然而，在那个轻飘匆忙的时代，梅格的这些名声在外的特长对旅客来说毫无吸引力，她的客栈也越来越萧条。最可怕的是，邻里一位地位显赫、爱幻想的女士，据说因为喝了离村子大约一英里半的一处矿泉水，治愈了她假想自己得的某种慢性病。一位赶时髦的医生写了一份关于水疗的分析报告，列出了多种疗法。一个地产投机商买下这块封地，修建了公寓、商店，甚至街道。终于，一笔共酬基金准备就绪，要建一家客栈。为了听起来更优雅，这家客栈被称为酒店。于是梅格·多兹的生意就更没人光顾了。

不过，她仍然有朋友和支持者。他们中的许多人认为，由于她是一个单身女人，而且在社会上颇有根底，她会明智地退出公共生活，摘下那块不再能招徕客人的招牌。但梅格的态度直接或暗中嘲弄了这种顺从可能。“她父亲的门，”她说，“应该向着公路开着，直到他闺女伸了胳膊蹬了腿，被抬出这个门为止。这不是为了赚钱——几乎没什么钱可赚——赚钱？——这就是个赔本买卖——但她不会被他们打败。他们不是要搞个酒店吗？——他们也开不出正经客栈来！他们想搞酒店就搞吧，但是他们会发现幸运的多兹能搞得比他们中最强的还要强——尽管他们搞什么众筹，把这看得像喘气一样重要，就指望咽下这口气了，一个赶着一个像一串大雁，一串最长的烂鱼肝（这么打比方有点造孽），她会和每个人较量到底，只要她还有一口气在。”梅格虽然铁了心，运气倒也不坏，虽然她的客栈生意是不行了，但她的土地升值了，升值幅度在账面上超过了她客栈生意的损失，这使她能够实现自己的崇高目标。

厨师与主妇手册

节选

克里斯汀·伊泽贝尔·约翰斯通

1781—1857

和沃尔特·斯科特

1771—1832

《圣罗南之井》出版六年后，一本衍生的烹饪书出现了。《厨师与主妇手册》顺理成章地迅速成为畅销书。这本书被誉为一本真正的苏格兰烹饪书，尽管它绝不是第一本由苏格兰人撰写的食谱，但这本书鲜明的苏格兰风格契合了斯科特热衷于推动的文化觉醒。它的作者克里斯汀·伊泽贝尔·约翰斯通是一名记者和编辑，是当时顶级期刊的唯一女性主编。

这本书包含了英式、法式和明确的苏格兰食谱，其导言可能是沃尔特·斯科特写的，他认为这本书很好，因此将其写进了《圣罗南之井》的修订版。它使用了小说中的人物，聚集在客栈里，作为餐饮俱乐部的一部分。在这段摘录里，他们反对时髦的法国菜，而支持传统的苏格兰美食。

要雷德吉尔医生拒绝诱惑，那真是太远离他的本意了。梅格厨房里发出的热腾腾的香气——“可能会在死神肋骨下造出一个胃的香气”——将这诱惑描绘得令人无法抗拒。他先做出一副犹豫不决的样子，然后让步了。他嗅着沿着楼梯升上来的扑鼻香气，跟着这位富翁来到一间私人客厅，在那里，一个古老华贵的瓷盆里装满了香气四溢的美味汤汁，给他带来了双倍享受。不过，首先是从装有香料瓶的银盒里取出一点卡宴辣椒粉，它没有遭到睑腺炎的污染。

“非常好的野兔汤——我得说简直太好喝了，塔奇伍德先生。兔血保存得很好——味道均衡——调味齐全——配料绝佳。先生，如果不给予那可怜的厨娘她应得的赞扬，我可不喜欢这样的不公正。这样做不对，塔奇伍德先生。我再说一遍，这份野兔汤非常好；而且，在我看来，虽然是苏格兰式的做法，但这是调制野兔的最好方式。这个地方是个安乐窝。这位老板娘是一个明智、谨慎的人，虽然一开始见面她脾气有点大。先生，所有好厨子都是这样。他们知道自己的价值——他们是一个特权阶层——他们在烈焰中辛勤劳作——他们肩负着沉重的责任。当然，也许你是带着自己的厨师旅行的，许多旅行的绅士都是这样。”

“没有这样的事，”塔奇伍德答道，“独自处理肚子问题的时候是最孤独的。我可能在这里给我家老厨娘写点叮嘱，在头三个月里，我偶尔会到厨房和储藏室里偷看一眼；但现在，一切运转得像涂了油的黄油一样顺溜。”

“先生，那您写食谱吧！”医生喊道，带着更多的敬意看着这位好客的主人，“也许是为了这道汤，也许是为了这道汤——也许是——但才认识不久就提这要求，有点过分——尽管野兔汤，先生，我坦率地说，只有苏格兰人才懂这道菜。先生，我没有民族偏见，不过，我得说，除了乌龟汤和咖喱肉汤，说起其他汤羹来，苏格兰人是顶级高手。我的一位好古的朋友把这归因于他们早期与法国有着长久联系，那是一个擅长做汤的国度。”

“毫无疑问，医生，”这位富翁答道，“但是你应该写这个野兔汤食谱，嗯，还有另外二十种食谱。你可能很难相信——这么个老客栈——有几十种令人垂涎的食谱，自从那边那个修道院有了那些快乐的修道士开始就有了。

‘周五，斋戒日

梅尔罗斯的僧侣们吃肥油炖甘蓝。’

“你还记得这首旧诗吗，医生？”

医生不记得这个。他关注的是更为实质性的问题。“先生，在这间世袭的客栈里，如果他们有烹制虹鳟鱼的原始配方，我一点也不感到惊讶——据说这也是本地的做法。”

“那简直毫无疑问，伙计，干红葡萄酒、黄油，还有香料。——哎呀，我之前也吃过，直到——又让我流口水了。正如法国谚语所说：‘给你的鳟鱼配一瓶好酒、一块黄油和香料，说说你觉得怎样。’——这家客栈的鳟鱼真好——出自‘修道士之网’，伙计——这条河最好的支流。让他们独享这美食吧。那些快乐的僧侣们知道秘诀。他们温暖、阳光充足的老果园仍然出产全国最好的水果。你们英国绅士从没见过灰母梨。往那儿看，先生。修道院坐落在这里最肥沃的土地上，出产最肥美的牛肉。他们的名字都很亲切，有牛奶和蜂蜜的味道——但是这里来了一位改革派的兄弟，我从来没有教过他白酱和酪乳的区别，尽管他懂十种语言。雷吉尔医生——请允许我向你介绍，我的朋友，约西亚·卡吉尔先生，这个教区的牧师。我告诉我的朋友，宗教改革使得这个岛上小地方的烹饪技术倒退了三个世纪。卡吉尔先生——除了主教制、烤牛肉和梅子布丁——还有什么留给长老会的，除了紫甘蓝、燕麦粥和杂粮饼？”

“我听说了，”卡吉尔先生答道，“这些的确是非常有益健康的食物。”

“健康的食物，先生！哎，你想到哪儿去了。先生，即使是一个苦修行乞的赤脚僧侣也能给你讲讲如何做白汁肉块或煎蛋饼，或者拌一个什锦烩菜。苏格兰在美食方面已经完全倒退了。然而，之前这里曾有着辉煌的美食史，那香味还在我们的鼻端萦绕，医生。在那些老牌的雅各比派家族，在衰败的修道院周边——在这样的客栈里，一代一代沿袭着食客的生意——仍然可以发现一些遗迹。正是因为这个原因，我把我的实验场景设置在克莱卡姆客栈，并选择了这位著名的老板娘作为神秘的高级女祭司。不过温特布隆瑟姆先生过来了。”

教授格言

选自《味觉生理学》

让 - 安泰尔姆 · 布里亚 - 萨瓦兰

1755—1826

让 - 安泰尔姆 · 布里亚 - 萨瓦兰是一名律师和美食家，虽然他在世的时候没能看到他唯一出版的著作《味觉生理学》取得巨大成功，但这本书仍然是最著名的饮食书籍之一。他来自里昂附近的贝莱，从小在当地美食的氛围中长大，后来在暴乱中逃离法国。有一段时间，他在纽约做小提琴手，回到法国成为巴黎的一名治安法官，并因为保护贝莱免受革命暴行之害而被拿破仑授予"帝国骑士"称号。

他早已拥有“知识渊博、能力出众的美食家”之名。在他位于黎塞留街的家中，他举办的美食聚会为他巩固了这一名声。大家敦促他写一本书，于是他花了数年时间就肥胖症和煎蛋饼等主题编写了一本随笔集。不过，最引人入胜的是他开篇写的格言。

作为本书的序言和本学科的基础常识：

一、如果没有生命，宇宙将一文不值，所有的生命都必须摄入食物。

二、动物们吃饱就行，人类吃饭活命。有头脑的人才知道如何吃饭。

三、民族的命运取决于其饮食方式。

四、告诉我你吃什么样的食物；我就会告诉你，你是什么样的人。

五、造物主赋予人类进食的需求，以食欲吸引人类进食，并以享受予以奖励。

六、爱好美食是我们需要做出判断的一种行为，这么做，我们会优先考虑那些令人愉快的食物，而不是那些没有品质的食物。

七、吃饭的乐趣属于所有年龄、所有条件、所有国家和所有地域。它与所有其他的乐趣融为一体，当其他乐趣离我们而去，只有它会留下来给我们慰藉。

八、餐桌是人们在来到后第一个小时内唯一不会感到厌倦的地方。

九、发现一道新菜比发现一颗新星给人类带来更多幸福。

十、那些消化不良或喝醉的人完全不知道饮食的真正原则。

十一、进食的顺序应该从最饱腹到最清淡。

十二、饮酒的顺序是从最温和到最浓稠、最醇香。

十三、说喝酒不能换样纯属异端邪说。舌头会变得饱和，喝过三杯就会迟钝。

十四、没加奶酪的甜点就像瞎了一只眼的美女。

十五、厨艺可以学，但烧烤的本事却是与生俱来。

十六、一个好厨师最不可或缺的品质是守时。客人也当如此。

十七、对拖拉的客人等太久，是对守时者的不尊重。

十八、接待朋友却不在意待客的饭菜，这样的人不适合做朋友。

十九、待客时女主人应确保咖啡始终醇香，男主人要确保他提供的酒质量上乘。

二十、邀请一个人到你家里来，就意味着只要他在你的屋檐下，你就要负责照料他的感受。

侨民的美食产业

选自《味觉生理学》

让－安泰尔姆·布里亚－萨瓦兰

1755—1826

下文为《味觉生理学》的另一处节选，展现了布里亚－萨瓦兰如何从他的亲身经历中把哲学和故事融为一体。

1793年，随着革命的发展，布里亚－萨瓦兰逃到瑞士（他在那里学会了制作芝士火锅），加入了数千名选择离开的同胞的行列。这些人中不仅有贵族和牧师（革命者早期攻击的目标），还有律师、公务员和上流社会的家政服务人员。许多人都是大厨，在美国和英国都很受欢迎。诚然，法国侨民使得法国美食传播到英语上层社会之外，到了 19 世纪，对法国烹饪的习惯性蔑视几乎消失了。

在这段节选里，一位有头衔的难民在伦敦通过为他人服务实现了发家致富，然后胜利而明智地返回了法国。

我在科隆时，遇到一位布莱顿家族的贵族，他认为自己很幸运，开了一家酒馆。这样的例子很多很多。不过，我更想讲讲一个法国人，他凭自己做沙拉的本事，在伦敦发了大财。

他是利穆赞人，如果我没弄错的话，他名叫奥比格纳克，或阿尔比格纳克。

尽管他很穷，但有一天他去了伦敦最古老的一家餐馆吃饭。他总能点上一道好菜就吃上一顿美好的晚餐。

当他正在讨论一块烤牛肉时，五六个花花公子坐在旁边的桌子上，其中一个走上前说："先生，他们说你们这些人擅长做沙拉。您能赏光吗？"

阿尔比尼亚克犹豫了一会儿，同意了，并开始认真地工作，尽了最大的努力。

他一边拌菜，一边坦率地回答了有关自己状况的问题。我的朋友不无惭愧地承认，他得到了英国政府的接济。这种状况无疑促使其中一名年轻人将一张 10 英镑的钞票塞进了他的手里。

他把自己的地址告诉了他们，不久之后，他收到一封信，邀请他到格罗夫纳广场最好的一家饭馆去做沙拉，这让他非常惊讶。

阿尔比尼亚克这时候意识到，他可以从这门手艺中获得可观的收入，于是毫不犹豫地接受了邀请。他随身带着各种各样的调料，希望能使他的沙拉尽善尽美。

这是他第二次做沙拉，他花了更多的工夫，做得比第一次更成功。这时候对方递过来一大笔钱，他问心无愧，并没有拒收。

他第一次遇到的那个年轻人吹嘘他为他们准备的沙拉是多么好，第二次做菜赢得的赞美声更大。就此他成为著名的“时尚沙拉师”。那些懂讽刺诗的人记得：

修女的欲望是燃烧的火焰，
英国人的欲望比火焰热烈百倍。

阿尔比尼亚克明智地利用了这种兴奋，很快就得到了一辆马车，以便他可以更快地从城里的一个地方赶到另一个地方。他在一个红木箱子里放了他所需要的所有原料。

后来，他又准备并填充了类似的箱子，售价上百。

最终，他赚了 8 万法郎。当局势稳定下来后，他把这些钱带回了法国。

回到法国后，他并不急着去巴黎，而是采取了令人佩服的谨慎措施，用 6 万法郎买了基金，其余的钱用来购买了一处房产。据我所知，现在他在那里过着幸福的生活。基金的回报率是百分之五十。

这些事情是一位朋友告诉我的，他在伦敦认识阿尔比尼亚克，在他回来后见过他。

乡村行记

节选

威廉 · 科贝特

1763—1835

威廉 · 科贝特是一位农场主和政治活动家。他首次崭露头角是抨击英国军队中普遍存在的腐败和虐待行为。在面临随时可能被捕的情况下，他在美国度过了八年，在那里他以“彼得 · 豪猪”的笔名闻名于世。

回到英国后，他为议会改革而奔走，支持传统的农业社会，反对工业革命带来的罪恶。在《乡村行记》中，他目睹并记录了农村穷人的极度贫困，这让他日益沮丧，他开始相信公开暴动是唯一的解决办法。这段摘录自 1823 年的一次行记，展示了拿破仑战争的影响持续不断，导致了怎样的饥荒和可怕的匮乏。

坎特伯雷，

9月4日星期四下午。

离开三明治镇，接着跨过一条河，船会通过这条河把煤从海上运来。这片沼泽大约有几英里宽，从海滩起，绵延到唐斯丘陵；在我的右手边，从三明治镇起，往左环绕，直到海滩，止于马盖特路。这片沼泽地以前很可能被海水覆盖，因此，在这类半环内的土地被称为小岛，名叫塔奈特。如今它的确是一个岛屿了。出于同样的原因，波特西也是岛，纽约也是岛，因为环绕的河水把海洋连接起来了。我必须穿过这条河，穿过沼泽，然后才能进入著名的塔奈特岛，这是我打算穿过的。过河后不久，我路过一个晒盐场，不禁想到，现在法国这些晒盐场没有税务员了。大革命之前，法国人受到最残酷的盐税剥削，他们不得不忍受有史以来最可怕的暴政，只不过执行者是财务部，在这里却没有名目。每年有成千上万的男女因为所谓的走私盐而被送进监狱。如果孩子们被发现走私盐，他们的父亲甚至母亲会被监禁或鞭打。当我看着萨奈特岛上的这些盐田时，我禁不住陷入思索：尽管议院里有皮特、邓达斯、珀西瓦尔这些人把持，尽管有着多佛的地道和罗姆尼沼泽的马特洛炮塔，尽管有那么多的间谍和刺刀、六亿英镑的债务、一亿五千万的人口重负，以及两亿英镑的济贫税正挤压着选举区贩卖者，挤压着农民，让白厅的官老爷们不知所措，使马克巷农产品市场成为比枢密院更引人关注的地方。当我在第一缕阳光下慢跑时，我高兴地想，尽管政府采取了种种恶毒的措施，给英国带来了如此多的苦难，但英勇的法国人民已经摆脱了暴政，那暴政曾因为他们试图免费使用上帝赐予的海盐而被送进监狱。有谁能告诉我们，为什么我们仍然要为盐付一蒲式耳五先令、六先令或七先令，而不是一先令？我们的确付过每蒲式耳十五先令的税。为什么一蒲式耳盐还要交两先令的税？因为，如果没有这两先令，收盐税的人员就得解散！这种每蒲式耳两先令的税，比起完全免税，会导致消费者至少多花五先令！什么时候，伟大的上帝！什么时候才能让我们像法国人一样自由地享受上帝的恩赐？

在这片沼泽地，我发现了和罗姆尼沼泽地一样的羊，但这里的牛主要是威尔士品种——黑色的小种牛。它们是耐寒的好牛，而且，有人告诉我，这些牛在肯特的北部地区依然可以长的肥壮——当我登上塔奈特岛的玉米地时，我真的进入了一个花园。几乎没有休耕，萝卜相对较少。这是一个玉米之乡。大部分的收成都在冬天，但也有一些小麦和大麦尚未种植。有很多紫花苜蓿，长势良好。我离开拉姆斯盖特，向右走了大约三英里，然后穿过小岛到了马盖特。但每年的这个时候，那个地方到处都是找食的杜鹃鸟，我不想让它们撞到我身上。我走到离小镇不到半英里的地方，往左走去。我来到一个小村庄，在那里吃早餐；但我的马却没有玉米吃，我自己也没有吃到培根！这里到处都是玉米地。我猜谷仓有两百英尺[①]长，巨大的麦垛数量最多，平均每英亩[②]五分之四都种着小麦，而客栈里竟然没有培根和玉米！在整个岛上，工人们的房子简陋到极点。人都很脏很穷的样子，衣衫褴褛，尤其是

① 1 英尺约 0.3 米。

② 1 英亩约 4046 平方米。

脏。那些脸脏兮兮的男人和男孩，穿着脏兮兮的长罩衫、脏衬衫。天哪！这里工人的妻子和汉普郡和苏塞克斯郡森林和林地工人的妻子之间差别太大了！我总是注意到，土壤越肥沃，林木越贫瘠；也就是说，这片土地越是盛产玉米，劳动者的生活就越贫困。原因是，大富豪们攫取了一切。在这个美丽的岛屿上，每一寸土地都被富人占有，没有树篱，没有沟渠，没有公地，没有长满野草的田埂。这片地区被划分为大农场，几棵树环绕着大农舍。其他地方都没有树。可怜的劳动者们没有一根木棍，没有地方放猪放牛，甚至没有地方能躺下歇歇。其他国家是劳动人民的国家。在那里，土地没那么宝贵，不那么容易被少数人挪用。在这里，在这个岛上，劳作几乎都是由马完成的。马匹用来犁地、播种、锄地、把玉米驮回家、打谷、把谷物驮到市场上；不仅如此，在这个岛上，它们还被驱使着耙地，耙起散落的稻草和玉米穗。除了收割庄稼和割草，所有的工作都由它们来完成。在这个国家的这一地区，不可能有比这些劳作者的状况更糟的了。

查尔斯·格雷维尔的日记

节选

查尔斯·格雷维尔

1794—1865

如果不是因为他的日记，查尔斯·格雷维尔就会始终默默无闻。尽管他没有头衔，但他仍然属于贵族阶层，担任过多种要求不高但薪酬丰厚的政府职位，配备了从事具体工作的下属人员。

从1817年起，格雷维尔开始写详细的日记，一直打算出版。这日记写的诚实、刻薄、固执己见，直到他死后才出版。前三卷虽然经过了大量删节，但仍然充满了迄今为止未被讲述的故事和观察，引起了涉及人员的愤怒。对于任何研究乔治四世、威廉四世和维多利亚女王统治时期的人来说，这本日记仍然是重要的资料来源，因为他写到1860年才结束（手稿本身有二十九卷）。在这篇节选文章中，宫廷的极端乏味，新女王的青涩无趣都暴露无遗。

3 月 11 日。昨天我去王宫赴宴，这让我很惊讶，因为我没想到会收到邀请。宴会人数众多。我们聚集在画廊旁边的圆厅里，就在宴席就绪时，女王和肯特公爵夫人一起走进来，引路的是内侍长康宁厄姆勋爵，后面跟着她的六位侍女。她和女客们握了握手，向男客们一并鞠躬致意，然后直接进去吃饭，由坐在她旁边的缪豪森和坐在另一边的康宁厄姆勋爵主持。这顿宴席和其他任何高级宴席一样。用餐结束后，坐在桌子一端的卡文迪什为女王的健康祝酒。大家都站起来干杯。这是一种粗鄙的习俗。无论在其他地方为女王的健康祝酒是多么合适，让她自己的官员在她自己的餐桌上给她祝酒是一种低级趣味。事实上，也就是在这张（私人）餐桌上才这么干过。然而，在前两位国王的治下，这是惯例。乔治三世只和家人一起吃饭，没请过客人，也没办过晚宴。

女王在桌旁坐了一会儿，兴高采烈地跟邻座说着话。女客们先离席，男客们大约一刻钟后离席。我们走进客厅，半腼腆半尴尬地挤在门口，女王走上前来迎接我们，依次跟每个人说话。如果她跟每个人的“闲聊”都像跟我的一样有趣，那么让哥尼速记下来是值得的。由于国王和女王们的话都是字字珠玑，而且作为一个王室餐后交谈的典范，我将准确而忠诚地记录我们的对话。

女王："格雷维尔先生，你今天一直在骑马吗？"

我："没有，陛下，我没骑。"

女王："今天天气不错。"

我："是的，陛下，天气很好。"

女王："不过还挺冷。"

我（像《哈姆雷特》里的大臣波洛尼厄斯那样回答）："是挺冷，陛下。"

女王："你妹妹，弗朗西斯·埃格顿夫人，会骑马，是吧？"

我："她有时会去骑马，陛下。"

（冷场片刻，我捡起话头，还谈同样的话题。）

我："陛下今天骑马去了吗？"

女王（兴致勃勃地）："哦，是的，骑了好久呢。"

我："陛下有一匹好马吗？"

女王："哦，一匹非常好的马。"

女王亲切微笑，点头示意，我深鞠一躬，然后她转而跟格雷勋爵说话了。我刚（高兴地）坐在肯特公爵夫人的惠斯特牌桌旁，其他客人就被安排围坐在一张大圆桌边（女王坐在桌边的沙发上）。他们聊了大约一个半小时，真是最无关紧要的闲聊，不过中间奥苏尔斯顿勋爵唱了几首歌，给闲聊增添了活力。宴席期间及餐后，我们听了很多器乐演奏。要从这样一个正式场合对她的真实性格和能力形成一种看法或一点概念，显然是不可能的。没有人指望她能说出任何巧妙、好玩或有趣的话，陌生人就更别指望了。她对每个人都很有礼貌，她的举止中更多的是坦率、亲切和幽默，而不是威严。她的情绪和说话都很乐观，无可挑剔，也不出彩。一切似乎都很乏味，也许这是不可避免的，但仍然很无聊，奇怪的是竟然有人会喜欢这样的生活。这次宴会异常盛大，因此也异常乏味和正经，不过每天基本上也都是这样过。墨尔本子爵没有出息，我感到遗憾，因为我有点好奇，想看看女王陛下和首相在一起是什么情形。

老饕日志

节选

威廉·萨克雷

1811—1863

威廉·萨克雷生于加尔各答，长于不列颠，是维多利亚时代英国颇受喜爱的小说家之一。他最为人所知的是他的当代小说，但他撰写的新闻稿、散文和短篇小说在当时也广受好评。他还是一位插画家，最著名的是为《笨拙》周刊画的插图。他激烈批评社会不公和虚伪，尤其是在他所处的上层阶级。

他的这篇节选以笔名迈克尔·安杰洛·蒂特马什发表，出自 1840 年至 1847 年间他写的三百多篇作品中的一篇。

1840 年，他的妻子精神完全崩溃，长期住院。1847 年，他的代表作《名利场》出版。他用过很多不同的笔名，探索过许多不同的体裁，但在《名利场》成名之前，他一直在经济上苦苦挣扎。蒂特马什是萨克雷最喜欢的笔名，在这篇文章里，作者对巴黎的就餐场所做了详细评论。在前言里，作者告诫英国食客要接受多样性，并学会真正热爱他们的食物。

我只想向公众介绍一本简短的用餐日志，以极其诚实而简洁的目的写成，展示了一系列美食实验下人类思维发展的图景或列表，性质多种，结果多样。伦敦人在很大程度上没有机会做这些实验。假设你是个有家庭的男人，你在那个大都市里生活了半个世纪。比如说，你周日吃的是烤羊腿和土豆；周一，冷切羊肉和土豆；周二，杂烩羊肉和土豆，杂烩羊肉配上小而湿的三角形吐司，这道好菜总是这么搭配。那么，到了周三，羊肉到此为止，牛肉来接班。牛肉经历了同样变化的烹饪手法，然后到此为止。你的生活就是这样一连串餐食排列，时不时来一点鱼或家禽稍做变化。吃正餐时喝三杯加了白兰地的酒，叫作雪莉酒，你的贤妻也喝了一杯。餐后，她喝了一杯波特酒，然后带着孩子们上楼，而你却在扶手椅上睡着了。生活中一些最纯洁、最珍贵的乐趣你是不知道的。你吃喝，却不懂得吃喝的艺术；不，你很可能鄙视那些这样做的人。“给我一片肉，”你很可能会说，“给你的美食家一颗无花果。”你觉得这一切都很高尚，很有男子气概。胡说，我的好先生，你之所以漠不关心，是因为你无知，是因为你的生命是在一个狭隘的思想圈子里度过的，是因为你偏执盲目，对你之外的美好傲慢麻木。

先生，尊重您的正餐；重视它，好好享受它。如果你这样做，你将在一周里的许多小时、一年里的许多星期，以及你生命里的许多岁月变得更为快乐。

不要告诉我们男子汉不屑于这么做。人的所有感官都值得好好使用，应该作为一种责任加以培养。感官就是艺术。大自然以动物、风景和绘画的形式为你的眼睛准备了多么辉煌的盛宴！你是要闭上眼睛不去看吗？慷慨的大自然以清风万籁吟诗奏乐，以人声的音符、鸟雀的欢鸣为你提供了怎样高雅的旋律！你要用棉花塞住耳朵，发誓说听觉缺乏男子气吗？——你这个固执的傻瓜！当然不是！你也不要荒唐到认为味觉的艺术在任何方面都不如视觉和听觉。你喜欢用餐，伙计，永远不要羞于这么说。如果你不喜欢吃饭，请转到下一篇文章，但请记住，在这个世界上，这世上的人，哪怕只配吃一颗无花果，无论是诗人、画家或音乐家，都有一副好胃口和好品味。啊，如果拜伦能好好吃饭，让自己长胖——如果他天然就该长胖的话——而不是用悲催的鸦片药丸和辛辣的醋来折磨了他的智力，催眠了他的原则，恶化了他的感情，他会是一个多么了不起的诗人啊！如果那个人能好好吃饭，他就不会写《唐璜》。

好了！说得够多了，让我们坐下来，付诸实施吧。

圣诞颂歌

节选

查尔斯·狄更斯

1812—1870

作为英国维多利亚时代最有代表性的作家，查尔斯·狄更斯在他所在时代就深受欢迎，至今经久不衰。他笔下的人物将寓言和让人倍感熟悉的人性融合在一起，其中很多人的名字已经独立于原著成了英语语言的一部分。

《圣诞颂歌》是狄更斯的系列圣诞书籍之一，该系列的内容都围绕着同一主题。19 世纪 40 年代是圣诞节重塑的关键时期，它从一个极其喧闹庸俗的节日转变成一个更注重家庭的节日。食物和饮品长期以来一直是圣诞庆祝活动的重要组成部分，而且某些菜肴——火鸡、腌野猪肉、烤牛肉和梅子布丁，等等——已经与圣诞节产生了拆解不开的联系。本节选中设定的背景是圣诞节的早晨，伦敦人正在为他们的大餐采购最后几样东西。

这位“圣诞现在之灵”升了起来。

“幽灵，”斯克鲁奇恭敬地说道，“请带我去你想带我去的地方。我昨晚被迫去了一些地方，从中受益良多，此刻仍在奏效。今晚，如果你有什么东西要教我，就让我从中受益吧。”

“抓住我的袍子。”

斯克鲁奇照做了，紧紧抓着他的长袍。

转瞬间，冬青、槲寄生、红浆果、常春藤、火鸡、烧鹅、野味、家禽、腌野猪、牛肉、猪肉、香肠、牡蛎、馅饼、布丁、水果和潘趣酒，全都消失了。还有房间、炉火，红色光芒，夜晚时分，也都消失了。他们在圣诞节早晨站在城里的街道上，在这里（因为暴雪初歇），人们铲着门前人行道上和屋顶的积雪，发出粗嘎而清脆的声音，但并不刺耳，雪扑通扑通地从屋顶落下，四散开来，形成了人造的小型暴风雪，让一旁的小男孩们兴奋无比。

房子的正面看起来黑洞洞的，窗户更黑，与屋顶上平滑的白色积雪和地面上略显肮脏的雪形成了鲜明对比。地上新积的雪被手推车和马车沉重的车轮犁出了深深的沟壑，这些沟壑在街道的交叉处纵横交错数百次，在厚厚的黄泥和冰碴儿中形成了复杂的辙痕，难以追踪寻迹。天空阴沉沉的，那些最短的街道也被半融半冻的混沌雾气所笼罩，雾气中较重的颗粒坠下来，如同煤灰雨般洒落，仿佛大不列颠的所有烟囱都不约而同地点起了火，并尽情地燃烧着。天气和城市都没有什么让人振奋之处，但在空气中却有着一种快乐的气氛，即使最清澈的夏日空气和最明亮的夏日阳光都难以比拟。

因为，那些在屋顶上铲雪的人是开心的，到处是欢声笑语。他们越过矮墙互相招呼，时不时恶作剧地扔一个雪球——这种自制导弹比用言语开的玩笑要滑稽得多——如果打中了就开怀大笑，打偏了也同样乐不可支。卖家禽的店铺门半敞着，水果店里也琳琅满目。圆溜溜的大篮子装满了栗子，看起来像乐天派老绅士的背心，懒洋洋地倚在门口，因装得太满而立不稳，翻滚到了街上。还有红棕色的、个头肥壮的西班牙洋葱，看起来像发福的西班牙修道士，在货架上冲路过的女孩们放肆而狡黠地挤眉弄眼，然后又一脸严肃地望着悬挂的槲寄生。梨和苹果堆得高高的，如同全盛时期的金字塔。几串葡萄，被店主大发慈悲地用钩子挂在显眼的地方，让经过的人们可以免费望梅止渴。成堆的棕色榛果，新鲜湿润，散发着香气，让人回忆起在森林中古老的步道上，蹚着深及脚踝的枯叶愉快地漫步。还有胖墩墩的诺福克苹果，表皮深红，与橙子和柠檬的明黄色交相辉映，果子个个饱满多汁，好像在迫切地恳求人们用纸袋把它们带回家，好在晚饭过后大饱口福。就连这些精选水果中间，在一个缸里游来游去的金鱼和银鱼，虽然生性迟钝愚笨，仿佛也察觉了周围的不寻常气氛，以鱼儿所能表现出的慢吞吞懒洋洋的兴奋，吐着泡泡沿着他们的小世界转了一圈又一圈。

杂货店！哦，杂货店！就要关门了，百叶窗已经放下了两扇，或是一扇，但是通过窗户的缝隙，可以瞥上一眼！不只是天平秤放到柜台上发出欢快的声音，麻绳从线轴上利落地剪下，或小罐子像变戏法一样被拿上拿下，甚至也不仅仅是茶和咖啡的气味混在一起的美妙香气；还有种类繁多的稀有葡萄干，如此洁白的杏仁，肉桂条又长而直，其他香料也芬芳无比，蜜饯上是结块的或斑斑驳驳的熔化糖浆，让最冷静的旁观者都会心荡神摇，而后怅然若失；还有鲜美多汁的无花果，还有高级包装盒里面现红晕的法国李子，酸得恰到好处。圣诞礼物包装里的所有东西看起来都无比好吃，但顾客们是如此匆忙，他们对这一天的期待是如此急切，他们在门口磕磕碰碰，手里的柳条篮子粗暴地相互撞击，他们买的东西忘在柜台上，然后匆忙又回来取。这样无伤大雅的小失误发生了几百次，而杂货店老板和他的手下依然态度坦然，宾至如归。他们用来把围裙系在身后的那颗亮闪闪的心形别针可能正代表他们自己的心灵，不怕放在外面任人审视。如果圣诞节的寒鸦有雅兴，也不妨来啄食。

但是很快，教堂尖塔的钟声开始把善男信女们召集到大教堂和小教堂。他们来了，穿着最好的衣服，满面春风，蜂拥到街上。与此同时，从几十条小街、小巷和不知名的角落里，涌出了数不清的人，带着他们的晚餐赶往面包店。看到这些贫穷而快乐的人，幽灵似乎颇有兴趣，他和斯克鲁奇一起站在面包店门口，在人们进来时掀开食盒的盖子，在他们的晚餐上撒上他火炬里的香灰。那是一支不寻常的火炬，有那么一两次，当带着晚餐的人撞到一起，发生口角时，从火炬朝他们身上洒几滴水，他们立刻恢复了好心情。他们会说，在圣诞节这一天吵架令人羞愧。这正是上帝的旨意，正是如此。

钟声停了，面包房关了门。然而，每个面包师傅烤炉上的油点水渍，都隐约展现了这里烹制过食物而且有人愉快地享用了晚餐；炉子上的石板冒着烟，好像石头也被当食物烹煮过。

“你从火炬里撒出来的东西有什么特别的味道吗？”斯克鲁奇问道。

“有，我特有的味道。”

“它适用于这一天的任何晚餐吗？”斯克鲁奇问。

“适合所有好心肠的人，尤其是穷人。”

“为什么尤其是穷人？”斯克鲁奇问。

“因为他们最需要。”

“幽灵，”斯克鲁奇思索片刻后说道，“我想知道，在我们周围的多个世界里，你为何单要剥夺其中的穷人享受单纯快乐的机会？”

“你说我？”幽灵叫道。

“你每隔七天就会剥夺一次他们好好用餐的机会，而通常只有这一天他们才能称得上正经吃顿饭，”斯克鲁奇说，“你难道不是这么做的吗？”

“我？”灵魂喊道。

“你要求这些店在第七天的时候关门，”斯克鲁奇说，“这是一回事！”

“我要求？”灵魂惊呼道。

“如果我说错了，请见谅。这是以你的名义完成的，或者至少是以你家族的名义完成的。”斯克鲁奇说。

“你们这个世上的有些人，”幽灵回答说，“他们宣称了解我们，他们以我们的名义所做的事情充斥着狂热、傲慢、恶意、仇恨、嫉妒、偏执和自私，他们对于我和我们所有亲朋好友来说，完全陌生得跟从未存在过的人一样。要记住这一点，他们的所作所为应该由他们自己负责，而不是算在我们头上。”

烤天鹅

选自《英国鸟类史》

威廉·亚雷尔

1784—1856

威廉·亚雷尔是一位博物学家和著作颇丰的作家，作品主题与鸟类和鱼类相关。他的《英国鸟类史》分三卷出版，几十年来成了鸟类学研究的经典著作。他特别热衷于描述可食用的物种，并以审慎食用他收集和记录的标本，以确认它们是否真的适合做食物而闻名。

这个相当奇特的食谱是他对疣鼻天鹅的论述的一部分，以一首诗的形式呈现。这首诗理所当然地被诺里奇的天鹅养殖业中心印刷出来，随天鹅发送给顾客。长期以来，天鹅因其体格大小合适，一直作为宴席上的禽类菜肴广受欢迎，虽然到维多利亚时代其受欢迎程度已有所下降，但在1930年代仍有可能买到育肥的食用小天鹅。

烤天鹅

取三磅牛肉，在研钵中捣烂，

塞入天鹅——首先你须得将其生擒

——一些胡椒、盐、豆蔻皮、少许肉豆蔻、一个洋葱，

美食家认为如此这般可提味增鲜。

然后用带子将其紧紧缚住，

让肉汁和别的东西不会出逃。

胸脯上应抹上一层硬实的粉糊，

其余部分以漂白的牛皮纸包裹。

在天鹅烤好前至少十五分钟，

从天鹅身取下面壳，让胸脯上色。

肉汁

我认为，如果你在香浓的牛肉汁中

加入半品脱波特酒，岂不美哉；

浇在天鹅上，是的，浇在肚子上，
然后，把它们整个端上桌，热的醋栗果冻伴随左右。
注意：天鹅不可去皮。

街头卖热鳗鱼和豌豆汤的小贩

选自《伦敦劳工和伦敦穷人》

亨利 · 梅休

1812—1887

由失败的律师转型为剧作家和记者的亨利·梅休不仅负责撰写了关于维多利亚时代工人阶级的开创性作品之一，还与他人共同创办了《笨拙》周刊，这是那个时代的标志性刊物之一。他的一生都放荡不羁且事事拖延。然而，在为《晨间纪事报》工作时，他不仅创作了82篇完整的系列文章，还将这些文章结集成了一部引起同时代人共鸣的作品，并成为后来许多社会不平等研究的先驱。

梅休花了两年时间调查伦敦的街头小贩和商人们，用他们自己的声音发表他们的故事。他目睹了贫困和恶劣的工作条件，开始变得激进。有段时间，一个劳工基金在他的文章的带动下蓬勃发展。他痴迷于细节和统计数据，他的作品是那个时期的重要史料。阅读他的文章，读者好像尝到了豌豆汤的味道，听到了当时伦敦人如此熟悉的叫卖声。

豌豆汤和热鳗鱼这两种小吃深受工间小憩的劳工和其他热衷于街头美食者的喜爱。星期六，街上可能有五百多个卖这两样东西的小贩。由于这两种小吃经常一起卖，我将把它们放在一起讨论。圣卢克老街的摊位最多，大约有二十个。在暖和的日子里，这些街头厨师只卖热鳗鱼和海螺。海螺有时候只是凑数的，因为那种天气里汤卖不出去。这些商贩的位置是固定的，在街上有摊位或售货亭，摊子上散发出的香味比饭馆的橱窗更能吸引饥肠辘辘者的驻足和垂涎。他们很少四处走动，但一般都在同一个地方经营。此行业一个著名经销商在克莱尔大街的克莱尔市场上有一个摊位，对面是一家猫肉店。有人听到他吹嘘说，如果他每天卖不到三十先令，周六卖不到两英镑十先令，他就不会去做这个生意了。真实数额可能是他所说的一半。这个人几乎拥有克莱尔市场区所有的热鳗鱼摊位。在风车街的尽头，托特纳姆法院路，还有一家热鳗鱼销售点，生意非常好。人们认为，他每天能赚到五先令左右，星期六能赚到十先令左右。在撤走之前，一个男人每天下午五点左右出摊，就在维多利亚剧院对面的新卡特街边，一直是他的“姑娘”在照看摊子。摊子上有两三盏灯，上面漆着“热鳗鱼”，摊子装饰得很有品位。他可能仅靠卖鳗鱼每天就能赚到七先令，而他还卖炸鱼和腌螺肉，炸鱼经常堆得一英尺高。在老肯特路和新肯特路交界处的“砖匠兵器”酒吧附近，也有个卖热鳗鱼的人，一个年轻的顾客向我保证“和伦敦的任何鱼一样辣，好像里面有杜松子酒似的”。不过，克莱尔市场的商家在所有热鳗鱼生意中是最大的。他是“头号人物”。据了解，某个星期六，他卖出了一百磅鳗鱼，而在多数星期六，他都能卖出四“网”鳗鱼（一网是二十磅）。他和他的儿子都戴着包着蓝色天鹅绒的珍妮·林德帽子，两人都在分发食物，而女儿则负责洗杯子。我的调查对象说：“一到星期天，任何人都会认为他是这一片的首要贵族或乡绅。瞧瞧他戴着白色礼帽，帽子上围着黑色的绉绸，穿着浅褐色的宫廷服，上面钉着珍珠母纽扣，他戴的黑色小手套，手指部分对于他来说太长了。”

我可以补充一点，即使是只出得起半个便士的赤贫之人，也和那些手头宽裕的人一样，会优先选择有格调的摊位。鳗鱼都是一大早在比林斯门市场买的。商贩们自己，或者他们的儿女，去往比林斯门，水手用船把他们运到停泊在市场外的荷兰鳗鱼船上。水手对每十磅买回船上的鱼收取一便士报酬，乘客免费。这些商贩通常以自有资金交易。但是当有些人“压力暴增”并且“周转不灵”时，用我调查对象的话来说，他们会借一个英镑，然后一周或两周内在市场外还清，并支付两先令的利息。钱通常是从租借手推车、敞篷货车和篮子的人那里借到的。开展业务所需的资金额当然取决于业务规模，但即使是小本生意，器具也要花费一镑。它们包括一个鱼罐和一个汤罐，平均每个罐子的容量是三加仑；除此之外，还需要五个钵子、五个杯子和十个勺子，以及一个用来洗杯、钵和勺的水槽，还有一块板子和支架支起摊子。很多时候，一个像样的摊位需要花费三镑到四镑。为此，将需要“两个精美的罐子”，每个罐子可容纳约四加仑，还有两个明火铸铁炉（一英镑的设备只能用两个锡锅的锅底当火炉用，里面的木炭需要一直燃烧，以保持鳗鱼和汤的热度；螺肉总是冷着吃）。陶器和勺则不必更高档。除此以外，小商贩还需要十先令去市场进货，而生意大些的则需要三十先令。从事这一行业的人要么是家传的，要么是由于失业而被人带入行的。有些人则是在工作期间致残，为了避免被送进救济院，才选择做这行。热鳗鱼的价格是半便士五块或七块鱼，以及四分之三杯分量的汁。半品脱豌豆汤的价格是半便士，海螺根据大小从每只半便士到三四只半便士不等。海螺装在碟子里卖。鳗鱼是荷兰产的，经过清理并洗净，切成半英寸到一英寸的小块（我的一个调查对象的女儿正忙着切鱼。她面前是一块沾满血迹的砧板，一边是一堆鱼块，另一边是一堆内脏）。然后将切好的鱼块煮熟，汤汁加面粉勾芡，再加上切碎的欧芹和混合香料调味。鳗鱼在街上趁热交给顾客，前面说过，装在杯子里，每份半便士，配上少量的醋和胡椒粉。最讲究的卖家还会加上一点黄油。街头小贩在加醋的时候是很慷慨的。

做好一网鳗鱼需要耗费三个小时——清洗、切块、充分煮熟。一网鱼此刻的成本（夏天要低得多）是五先令两便士（两便士是“运到岸上”的费用）。用作勾芡的四磅面粉花费八便士，两便士的欧芹用于调味，醋、香料和胡椒粉（大约三夸脱醋和两盎司胡椒粉）的成本是一先令六便士。这些鱼做好并放过调料后，每份半便士可以卖到十五到十八先令。这样利润就是七先令到九先令六便士，但还要扣除木炭的成本，以及烹饪时使用的盐。这两项费用合计约为五便士。

豌豆汤由去皮豌豆瓣、芹菜和牛骨组成。每三加仑汤使用五品脱食材，食材的成本是每夸脱三个半便士；骨头两便士，胡萝卜一便士，芹菜半便士——这些共花费一先令到一先令四分之一便士；用于调味的胡椒粉、盐和薄荷，大约两便士。当以每份半便士的价格售出一整罐汤，可以得到两先令三便士到两先令四便士，剩下一先令一便士的利润。但还要从中扣除煮汤的成本，因此，三加仑汤的净收益约为十一便士。生意做得大的时候，每天要处理三罐或十二加仑的豌豆汤，和约四桶或八十磅的热鳗鱼，星期六除外，周六每天要处理的鳗鱼数量约为五网或一百磅，豌豆汤约十五加仑。因此，热鳗鱼和豌豆汤的生意好的话，每周的利润将达到七英镑至七英镑十先令，甚至更多。但在伦敦，只有一个人的生意做到这么大，或者说能赚这么多钱。小生意人一周能卖十五磅鳗鱼，包括星期六，还有大约十二加仑的汤。有时会对外赊半便士或一便士，但因坏账而损失的钱很少。偶尔有接过食物的男孩对摊主说：“老板，这东西很好吃，欠你半便士，再来的时候还你。”但他们很少能如愿，因为摊主很清楚以后不会再见到他们。很多时候，煮好的汤没有卖完，就带回家给家人吃掉。豌豆汤一般放不了一晚，剩下的东西一般都被家人用来当晚饭。

小贩们早上十点半左右出门，一直卖到晚上十点左右。星期一是除星期六之外生意最好的一天。顾客一般是十二到十六岁的男孩。报童非常喜欢热鳗鱼，女人更喜欢豌豆汤。有的男孩周六晚上连吃了六杯半便士一份的鳗鱼，有的女人会喝三钵半便士一钵的汤。许多人在寒冷的天气里更喜欢热汤而不是啤酒。在潮湿、阴沉、寒冷的日子里，汤的生意比平时更好，而在晴朗的天气里，对热鳗鱼的需求更大。一位商贩向我保证，他曾经为两位绅士的仆人接连奉上二十八杯半便士一份的热鳗鱼。一个仆人吃了十六杯，另一个吃了十二杯，他们都一口气吃完。两人中的一个非常喜欢热鳗鱼，此后的六个月里，他每天来两次，每天吃八杯，中午四杯，晚上四杯。这两个人是我的调查对象遇到的最好的顾客。不过，仆人们总的来说并不偏爱这种东西。热鳗鱼一般不是当晚饭吃的，豌豆汤也不是，而是一整天都有人吃，而且就看路过的人的喜好了。饭馆不卖这些东西。商贩们也不记录他们的收入和支出情况。

一年中最适合吃热鳗鱼的时间是六月中旬到八月底。在这段时间的某些日子里，一个做小生意的平均每天能赚一先令六便士。其他日子每天一先令。八月份的某些天，每天能达到两先令六便士。有些人会叫卖："香喷喷热腾腾的鳗鱼——香喷喷热腾腾的鳗鱼！"或"只要半便士，暖和手，填肚子。"一个小贩常常把多余的鳗鱼送给那些不愿意进济贫院的可怜人，当他收摊的时候，把炭炉借给他们取暖，而且他们总会还回来。有的可怜人向他们乞讨煤渣，用来铁路拱桥下生火。然而，一般来说商贩们对他们不予理睬，只管卖自己的东西。有个小贩对我说："我更愿意救急不救穷。"现在做这一行业的人几乎难以糊口，而且收入也比以前少了。有人将此归咎于他附近开设的几家平价馅饼店。此前他可以每天赚到两先令六便士，但是天有不测风云，自从平价馅饼开卖，他每天赚的就再超不过一先令六便士。在第一家馅饼店开业的那天，他少卖了十磅也就是半网鳗鱼。馅饼店里有乐队和装饰灯，实在难以与之匹敌。比萨店的时髦制服是“珍妮·林德”帽子或宽檐帽，帽子上系着条宽大的黑丝带，穿着白色的围裙和套袖。商贩们经常在晴朗的星期天去汉普顿球场或格林尼治。他们偏爱阿斯特利剧院的乐池位置。有一天早上，在比林斯门市场，他们中的一个人告诉他的水手，他和他太太昨晚在阿斯特利“被逗得乐死了”。

英国面包之书

节选

伊丽莎 · 阿克顿

1799—1859

伊丽莎·阿克顿在开始写作前，曾做过教师和诗人，之后应出版商的要求写了“一些实用的东西”。她于 1845 年出版的《现代家庭烹饪》，至今仍然是最好的英文食谱书之一。这本书影响巨大，因为其清晰和准确在当时的书籍中实属罕见。随后她又出版了一本《英国面包之书》，书的内容一部分是食谱，一部分是评论，并对面包的生产制作进行了详细的研究。

这段节选文笔平实，反映了她务实的写作方法和态度。后来，她继续探索维多利亚时代面包师所处的不卫生而悲惨的工作状况。他们经常在潮湿、老鼠出没的地窖里工作一整夜，无良的主管面包师傅把他们锁在里面。消费者拒绝为他们的面包支付更高价钱，因此偷工减料不可避免。对 1850 年代伦敦面包的分析表明，没有一条面包是真材实料的，都掺入了各种明矾、熟石膏或是劣质谷物碎粒。

一直到现在，面包问题在法国、比利时和德国的一些地方引起的重视程度远超过我们。在这些国家，这种重视的实际结果非常令人满意并且大有益处。

在社会有识之士中间，似乎存在着一种普遍的看法，认为绝对有必要对“古法面包”或面包制作的传统方法进行彻底的改革。在最近关于这个问题的几份出版物中，他们描绘了一些骇人听闻的画面，作者们都颇有才干，而且对这个话题投入了极大的热情。他们一致指出，过去几百年来，尽管所有其他行业的工艺都得到了长足的进步，烘焙业的操作却并没有什么真正的改进，很多错误的传统一直没有改变。在法国科学院的档案中，以及在报刊上或学术团体的会议上所做的各种介绍中，都把烘焙业的特点描述和评论为不卫生、粗制滥造和缺乏经济性。我插入一些细节，而且并没有为了不刺激到吹毛求疵的读者而遮遮掩掩，因为它们可能引起的任何厌恶感都是自然而正常的结果，并可能唤起人们帮助整顿它们的愿望。闭上眼睛，决定不问不看那些或多或少影响到生活的罪恶是不可取的，尽管成千上万不善于思考的人宁愿闭目塞听，也不愿调查了解和努力消除问题。许多人甚至不愿意相信，供应给伦敦居民的水应该进行净化，然后才能安全饮用，也不愿意相信，这个超大城市不完善的污水处理系统使空气受到致病性污染，让呼吸这种空气的人摄入了致命的有毒物。他们吃的面包也是如此。他们不希望自己的信念受到干扰，愿意相信一切都是其应有的样子，并把别人的不同意见，或环境能带来严重和痛苦的疾病的想法视为纯粹的臆想或偏见。常见的制作方法是众所周知的，无人能提出异议。一位同时代的外国人对此做出的描述并不那么诱人："我们的后代会惊讶地提问，在这个工业进步的时代，我们的主要食物是否真的是以现在这种恶心的方式制作的，半裸的工人把胳膊扎进面团，用力提起并抛来抛去，累得筋疲力尽，淋漓的汗水肆意流淌，与食物混合在一起？"

再如："如果我们不满足于只看到面包店橱窗里展示的面包外观，而是走进制作面包的工作间，将亲眼见到面包制作过程毫无清洁和卫生可言。可以看到这里有一个从未更换过的水缸；面粉暴露在不洁的环境中，要么太潮湿，要么温度太高；最重要的是，看到接触我们食物的病恹恹、汗流浃背的人，我们应该会带着无可指摘的厌恶感离开。”

这些画面令人恶心，却真实不虚；然而，这其中许多令人厌恶之处是面包师自己无法控制的，因为他们找不到适合他们的工作场地和食宿条件。在人口众多且拥挤的城市中，他们通常要在通风不良的地下场所制作面包，那里的空气怎么可能不是极度污浊，损害着在此干活的人的健康，并对他们所准备的食物产生着最坏的影响？在我们摄入的营养食物中，没有什么比面包更需要在与制作有关的各方面严格监管了。

面包的价值——这一点怎么强调都不为过——取决于其真材实料的品质，而要保持这种品质（即使其原料成分都不掺假），就必须保证其制备过程中的所有细节保持最大限度的清洁，并且在制作面包的地方没有任何不卫生的因素。

烹饪战役

节选

亚历克西斯 · 索耶

1810—1858

亚历克西斯·索耶可能是英国烹饪界第一位真正的名人，他是个法国移民，在1830年第二次法国大革命后离开母国，之前曾在餐馆和私家厨师处接受过培训。在英国，他作为改良俱乐部的主厨声名鹊起。他在俱乐部布置了一个新厨房，配备了用于烹饪的燃气，并且孜孜不倦地发明新菜肴。他的名气与日俱增，后来在妻子艾玛去世后全身心投入工作，在烹饪方面的探索更臻于化境。

《烹饪战役》是索耶众多作品中的一部，尽管他的书大多数是食谱。这本书讲述了他在克里米亚的经历，他在那里无偿地重整了军队医院的餐饮服务。他设计的野战炉一直到20世纪都是英国军队的标准装备。这段节选讲述了他所遇到的危险，那正是疾病所造成的死亡人数如此之高的众多原因之一。

在拜访了泰勒医生后，我就伙食问题与他进行了长时间的交谈。在此过程中，他说：

“一发现伙食搞得这么糟，我就担起责任，不仅监督这些人，还亲自做饭和指导他们。我必须说我发现他们非常配合。我怎么能指望他们早知道该怎么搞呢？从来没有人教过他们。”

“是的，医生，而且，他们刚开始搞清楚状况，就被团里召了回去，换了些新人代替他们，这些新到的人和他们初来时一样一头雾水。”

“正是如此，我告诉你，索耶先生，虽然我们可能是非常优秀的医生，并且对医学有着透彻的了解，但我们仍然需要烹饪科学的帮助。因为没有膳食支持，治疗的效果会大打折扣。自从我注意到这点，我越来越坚持我在几个医学委员会上表达过的观点，即一个合格的医生应该具备一些厨艺方面的知识，而且在开始接受医学教育的早期进行学习。”

“确实，医生，我并不是为了吹嘘我潜心工作了不止二十七年的这行，才说我相信这门科学太不被当回事了。

你刚才说得非常对，我也在我的各种关于烹饪的书中多次讲过，要成为一名优秀的厨师，具备一些化学和医学知识是至关重要的。”

“我同意你的看法，索耶先生，”他说，“等我的厨房准备好了，医生，我希望你会赏光来看看。”

“非常乐意。完工后请告诉我。”

令我感到非常遗憾的是，我不得不考虑返回佩拉，因为我房子的工期出现一些延误。到达港口时，一艘小帆船也找不到，天气太糟糕了，他们过不来。一个朋友让我在一个叫德米特里的希腊人开的小餐馆里住一晚。我们十七个人躺在草垫上，如果幸运地带了大衣，还可以享受用大衣当被子盖的特权。在斯库塔里，旅馆房间非常昂贵。任何希望享受大衣福利的人都必须整夜保持清醒；因为你刚开始打瞌睡，你的某些醒着的睡伴就会努力把那件梦寐以求的衣服据为己有，而且天气极为寒冷，让人非常难受。不幸的是，在度过一个极不舒服的夜晚之后，我一点儿都打不起精神来，而且几乎不适合承担摆在我面前的艰巨任务。不过，我还是六点钟就起了床，七点钟到了厨房。我的所有命令都没有得到执行。我自己的人本应在那里却根本不在，人们告诉我，他们要到十点钟才能拿到口粮，那是平常发放口粮的时间。

“说真的，”我说，“请问是谁告诉你的？”

“军士和勤务兵们。”他们回答我。

“我们这就着手解决，跟我来。”

事实是，我发现确实很难弄到任何东西，但是，在我到达供应商总部后不到半小时，我的新军团就开始在我的指挥下雷厉风行地行动起来。到了八点钟，一切都准备就绪，可以做饭了，除了我的厨子，他们还睡在储藏室里的稻草上面，不时地和结成盟军的老鼠进行战斗。看来，这些动物是来欢迎他们来到斯库塔里的。

在检查煮水锅时，我担心的第一件事成了现实——除了铜以外什么都没有，所有的镀锡层都被磨损了。要确定这一事实非常困难，这些又大又深的大锅被牢牢地固定在大理石底座上，不仅极难拆除，而且拆除后也很难上锡。我认为最明智的做法是，所有大型机构的烹饪设备都采用可锻铸铁，这种材料非常干净，价格也便宜得多，而且不需要镀锡——为了美观，锅盖可以是铜制的，但锅炉就不必了。只有富人的厨房设备可以是铜制的，因为他们有能力雇佣专业人员来为他们准备饮食，他们绝不会在铜裸露出来时还愿意继续使用。

但那天我不得不使用它们。在每个铜锅中加入适量的水，放入肉、大麦、蔬菜、盐和胡椒，然后点着了火。让食材炖两个半小时后，一道极好的汤就做成了，我只加了一点糖和面粉来完成它。

这种可口的汤得到了医务人员的高度认可并且立即采纳为部队伙食，食材清单见我的《医院饮食》，其中列出了从十份到一百份的原料比例。

肉很柴，汤里没有油脂可撇出。因此，如食谱所述，应立即分发。几位医生和我一起走来走去，问他们觉得怎样。他们都对此非常满意，并且交口称赞。我还特别注意到肉的定量份额不该在肉叉上捆成一团。

我随即告诉勤务兵不要把他们的定量肉扎得太紧。经过检查，我发现他们用一种非常有趣的方法来标记自己那份。有些人用一块从旧夹克上剪下来的红布；有人用拴在一起的半打旧纽扣；还有人用旧的刀、叉、剪刀等。唯有一个人想到了一个很特别的办法，无法不让我们叹为观止。这个绝妙的想法让南丁格尔小姐、医生和我自己都笑得前仰后合。他用一把烛芯剪夹住了他那份肉。

所有这些乱七八糟的东西每天都和肉一起煮，让炖煮时间变得更长。当我告诉那个用烛芯剪的人，把这些东西放在汤里是非常肮脏的小把戏时，他的回答是："怎么会脏呢，先生？这两个月一直在锅里煮着。"

当所有的晚餐都端上来后，我见到一个大铜罐，浓厚的肉汤装得半满，上面有大约三英寸厚的油脂。我问他们，油脂是怎么处理的。

"扔掉，先生。"

"扔掉？"我们都惊呼起来。

"是的，先生，这是煮过新鲜牛肉的水。"

"你把那叫作水吗？我称它为浓肉汤。你为什么不把它做成汤？"

"我们勤务兵不喜欢喝汤，先生。"

"那你们真就把它扔了？"

“是的，先生，它毫无用处。”

我拿起一把勺子，捞出一大盆漂亮的油脂，这些油脂冷却之后，比从君士坦丁堡采购的每磅十到十五皮亚斯特的高级黄油更适合烹饪。第二天，我向他们展示了如何用他们之前愚蠢地扔掉的东西做一道最美味的汤。从此以后，他们非常乐意采用这种方法。每天用这种方式煮的牛肉不少于七十磅，而且不加盐。这令人难以置信，但南丁格尔小姐和其他在场的人可以证实其真实性。

为了确保不出差错，只需要对厨房配置进行敏锐的观察即可。第二天，我把铜锅镀了锡。接下来就是安排一个炭炉、一个烤炉、一个储藏室和一个食品橱隔间。还要做一组橱柜和一个砧板台。在总工程师戈登上尉的善意支持下，这些事情几天内就完成了，而且花费极少。即便不算非常气派，但正如我们所看到的，这也是一个非常宽敞和方便的厨房。

几天时间里，我把所有其他伙食饭菜都实验了一遍，如鸡肉、羊肉和小牛肉汤，禽类、牛肉和羊肉茶的烹饪等。我没有忘记饮品，例如米汤、柠檬水、葛根粉、帕纳达面包汤、大麦水、西米冻等，还有米布丁、西米羹、面包、细面条和通心粉。

有位名叫布莱克的先生是一位一流的翻译，他是由总管介绍给我的，并指定他在我可能需要帮助的任何方面协助我。南丁格尔小姐和一些出色的医生以及威廉·波莱特勋爵都对他给予了高度评价。我怀着感激的心情承认，与他在一起的那几天，我从这位先生那里得到了巨大的帮助，而且他费心费力帮我买到了我所需要的一切东西。他能说流利的法语，也能说土耳其语、希腊语和美洲语言。这使得他对我来说非常宝贵，因为我不得不在我的众多间厨房里雇用讲不同语言的人。更令人称奇是，他是拜伦著名的诗歌《雅典的少女》中那个少女的丈夫，我曾多次有幸得到她的陪伴。尽管自这个有趣的人物形象光芒初现已是第十个年头了，但伟大的拜伦的赞颂诗句似乎仍然刻在这位曾经名满天下的希腊美女的面孔上。她告诉我，当拜伦勋爵为她写诗时，她只有十岁，他当时住在雅典她父母家房子的对面。

露西尔

节选

欧文 · 梅雷迪斯

1831—1891

欧文·梅雷迪斯是第一任利顿伯爵——爱德华·罗伯特·布尔沃-利顿的笔名。他是一位职业外交官和诗人，在1876年成为印度总督之前曾在美国和欧洲工作。《露西尔》是他最受好评的作品，是一部诗歌形式的小说，旨在与欧洲大陆类似的写作方式相呼应。这段节选讲述了露西尔的情敌以及他们的孩子的故事。在此场景中，露西尔的两个竞争者之一被晚餐这个非常重要的场合分散了注意力。此选段中的第二节在今天仍然能引起读者共鸣。

十八

哦，一整天里的这个时刻，这世上最幸福的时刻，
我们共进晚餐的幸福时刻！
他的诞生之地；
他第一个恋人的脸；他所欠的账单；
朋友的胡言乱语和敌人的恶毒；
他上次去教堂时听到的布道；
他借的钱，他花的钱——
所有这一切，我相信，男人都会遗忘，
而且就算遗忘也没什么不好；但是，
永远，永远，哦永远！地球上最幸运的负罪者
忘记了吃饭的时间！
消化不良，每一个坏掉的胃的良知，
将无情地噬咬他，带着极度的痛楚追逐他；
让他不得安宁，最仁慈的报复，
也要超过复仇女神困扰过奥瑞斯提斯的睡眠那种无情。

十九

我们活着，可以没有诗歌、音乐和艺术；

我们活着，可以没有良知，可以没有心灵；

我们活着，可以没有朋友；我们活着，可以没有书籍；

但是谦谦君子活在世上，不能没有厨子。

他活着，可以没有书本，——知识除了悲鸣还剩下什么？

他活着，可以没有希望，——希望除了欺骗还有什么？

他活着，可以没有爱情，——相思除了煎熬还有什么？

但是，何人能不用吃饭，依然可以活着？

势利小人的英式晚餐

选自《晚餐问题》

查尔斯 · 塞尔比

1802—1863

查尔斯 · 塞尔比，本名乔治 · 威尔逊，是一位演员和剧作家，他以演什么像什么和擅长写闹剧著称。他还为自己创造了各种艺术分身，并用这些身份进行舞台表演或用艺名创作漫画新闻和戏剧小品。其中之一是塔比瑟 · 提可图斯，在以此为笔名出版的一本书的封面上，盛装的塞尔比光彩照人，凝视着远方。

尽管只是一本漫画书，但塞尔比（或提可图斯）的食谱非常可信。他以介绍性的散文作为序言，并在书中加入插曲，这些插曲揭示了当时中产阶级的态度，同时经常给出真正的好建议。这段节选既令人心惊胆寒，又机智地嘲笑和揭露了种种势利现象。本文也是对中下阶层晚餐的透彻窥视。

致《笨拙》周刊编辑

“先生，自从我给《泰晤士报》写了一封长达一栏半的信之后——我在信中阐述了举行晚宴的真正原则（或者说是交换原则，因为我无须说搞晚宴就会让我们对所邀请的客人有所亏欠，除非有个作家、小丑、远客或其他有吸引力的事物也白纸黑字地列在菜单上）——有人提醒我，在这个国家有很多人，虽然不是百万富翁，甚至连每年三四千的体面收入都没有，但在这个讲究平等的时代，却自负地认为自己有权知道他们在吃什么喝什么，以及谁对现行晚宴制度心存不满。我指的是那些，无意冒犯，我愿称之为‘势利小人’的人，每年可能有六七八百的收入。有人要求我站在这伙人的角度，按照我写给比他们高端的信的精神，给他们一些提示。可是我担心，在这样的问题上给他们提供建议，恐怕会在他们的悲惨状况上又添羞辱，但我们有责任帮助不如我们的人，努力让他们意识到，是上天的旨意让他们劳作，对我们仰视并寻求指引，这是他们应该欣然接受的命运。

“当然，我不会对他们说‘八点用晚宴’，如果他们毫不偷奸耍滑地干一天活，就会打哈欠上床睡觉，管他那些有着‘弹簧坐垫和弹簧靠背’的椅子、‘塞夫尔瓷器’、‘大捧大捧的鲜花’、‘提着装满葡萄的篮子的小孩’、‘法式苔藓彩绘’、‘餐巾纸旁的一支玫瑰或一束紫罗兰’、‘烤蒿雀和小鸣禽’，或其他文明生活的必需品。嘲笑穷人是最低劣的市侩行为。我只会给我提到的势利小人一些建议，这些建议来自我对他们的习惯和需求的实际了解。

“针对这些人，我想说的是——

“你最好根本不要搞什么晚宴，那是非富即贵的人的勾当，你只需吃饭即可。茶，下午五点钟，配上大量松饼、莎莉伦圆面包和吐司，是更适合你请朋友吃的一餐。之后，也许可以来点面包和奶酪、香葱，甚至沙拉，也不算很奢侈。对于下层阶级来说，啤酒并不是一种不健康的饮料。我想你们中的女性可以忍受烟草。为什么不满足于和你所在阶级相称的乐趣呢？

“不过，如果你非要模仿上流人士，请人吃晚餐，请注意以下几点提示：

“一定要邀请男性朋友的妻子。这些妇女不愿意晚上盘桓太久，因为她们急着回到自己的孩子身边（当然，她们没有家庭教师和保姆），而且她们会在某种程度上盯着丈夫粗俗的习惯。

“六点开饭，因为你这个阶层的人不习惯一直饿着等，他们会吃了午饭来，这样你就能省些食材。

“想方设法把你的餐桌打扮漂亮。一个拿破仑皇帝的石膏像，或者带着彩镶玻璃窗的教堂摆件，让人眼前一亮，几便士就可以买到，而且会把谈话引向政治，或者宗教，以及你们这类人认为自己有权利发表意见的同类话题上。

“准备纸质菜单会显得做作，但作为你们这样的人，跟我们这样的人一样，总会遇上不识相的客人。让你的小儿子们在习字簿上写下几句格言，然后每个客人面前放一份。‘贪食导致匮乏’‘节制大有裨益’‘不要眼大肚子小’，以及类似的道德说教，可能好处不只是提高小淘气们的写字水平。不要弄什么玫瑰或是紫罗兰，在每位男客桌上放一根冷腊肠，给每位女客准备一块姜饼，以便在上菜间隙占住他们的嘴巴，就用不着面包了（像上流社会那样）。

“千万不要在桌子上放牛油蜡烛。油灯更便宜，而且如果是女主人自己清理的话，会看起来像模像样。

“凡是你能做出来的汤都没法喝。不过跟我们一样，牡蛎可以用来做你晚餐的头盘，只不过不是‘四个或六个’，而是让每个人都吃几十只，配上面包卷、黄油和啤酒。这将使余下几道菜变得很简单。

“便宜的鱼并无不可，我在你们住的那种地方的街上也见过挺好的鱼在扑腾。但是几条新鲜的鲱鱼或黍鲱不会出错。记住鱼应该用叉子吃，哪怕是钢制的叉子都行。不过镍合金的也不贵，而且如果女主人亲自用水洗皮革擦拭，看起来也可以银光闪闪。

“不要弄那些你自己爱吃的硬邦邦、血淋淋的大块肉，试试杂烩羊肉、爱尔兰炖肉或扁豆羊肉。炸土豆是一种很容易做的美味。土豆泥，上面放着小香肠，会让许多丈夫背弃常去的牛排馆——还不至于是他的夜总会，幸好你并没有这么大的诱惑力。如果你希望变得特别‘绅士’（像你们说的那样），可以试试牛骨髓。

“为什么要上布丁呢？你的布丁难看、拖泥带水，或坚硬、不卫生。不如去一家受人尊敬的食杂店，问他要一种叫作通心粉的东西。他会告诉你怎么做。加上一点磨碎的奶酪，你会发现它是一种新奇的珍馐。吐司涂上糖浆可用来取悦少年宾客。

“然后你那邋里邋遢的仆人（顺便说一句，一定要让她洗脸，戴上帽子——永远不要让她戴着软帽进来）会把半圆的奶酪像扔半个磨盘一样扔到嘎吱作响的桌子上。应该把奶酪拿到一边，切成片再上桌。不要愚蠢地为了显得‘文雅’而拒绝你喜欢的洋葱。即使你至死再不碰洋葱，你也不会更像我们上流人士。

“尽一切办法弄些你认为是甜点的东西。苹果、橙子和你在剧院走廊拿的饼干，有什么不能拿上餐桌呢？放在小圆桶里的无花果，由你的一个女儿用彩纸盖住，或者用红色的威化糖果粘住，将是一个有格调的主装饰品，你可以把红酒的劣质口感甩锅到甜无花果身上。我猜你会舍得为这卑鄙行径花上三先令六便士，甚至四先令。尽管我建议

（而且你们中的女性更喜欢）你采用白兰地掺水的方案。

“我坦率地告诉你不必以烟斗为耻。我们这样的人抽的香烟，不也就是一根纸烟斗吗？

“你最佳的一步棋是到楼上去喝茶。越早宣布对于女宾客的脾气控制越有好处，也有利于你第二天一早去干活的时候保持头脑清醒。

“别让你的孩子睡觉。就算他们犯困和闹脾气，也就这么一次。他们能身体力行地把聚会搅黄。我的意图是向你展示如何以你捉襟见肘的财力，以一种谦逊而愉快的方式，模仿了高端人士的生活，同时又机智地节约了开销。让我补充一点，如果那是一个下雨的夜晚，请不要犹豫，让你的女仆叫出租车，而不是让你的客人晚些再走。不过要给那可怜的姑娘一杯烈酒，别忘了你通过把朋友打发走能省下不少物资。

“如果这些提示能帮助到年收入不超过八百的人，我就算是尽到了对穷人的责任，并将再接再厉。

你忠实的仆人，

伯克利大街　G. H. M.”

维多利亚三明治

选自《家政之书》

伊莎贝拉 · 比顿

1836—1865

伊莎贝拉·比顿可能是英国历史上最著名的美食作家，她在丈夫的小型出版帝国中担任记者、杂志编辑和时尚作者。1859 年，她的《烹饪与家政之书》开始连载，于 1861 年完结并出版成书。

《家政之书》面世即畅销，常年热度不减，这主要得益于高超的营销手段而并非内容的过人之处。不过比顿的笔法风格鲜明，书的内容条理清晰，旁征博引，比如写到鱼的性生活实录等。但她所有的食谱几乎是抄袭，很多抄自伊丽莎·阿克顿，有时甚至乱写一气。

此处介绍的似乎是为数不多的原创食谱之一，因为这是以女王命名的维多利亚三明治一词首次出现。直到20世纪，“维多利亚”才改成了“海绵”，海绵这个名称的用法可以称得上万无一失。

食材：4 个鸡蛋；与鸡蛋等重的碎糖、黄油和面粉；1/4 茶匙的盐，任何种类的果酱或橘子酱。

制作方法：将黄油打发；撒入面粉和碎糖，搅拌均匀；然后加入事先打好的鸡蛋液，搅打 10 分钟至完全均匀；在约克郡布丁烤盘中涂上黄油，倒入面糊；放入烤箱，中温烘烤 20 分钟；待其冷却后，在蛋糕的下面一半均匀涂上一层果酱，然后将另一半蛋糕放在上面，轻轻按压蛋糕使其黏合；然后切成手指宽的片，将其交错堆放在玻璃盘上即可食用。

时间：20 分钟。平均成本：1 先令 3 便士。

可供 5 或 6 人食用。适合任何季节。

奥德利夫人的秘密

节选

玛丽·伊丽莎白·布兰登

1835—1915

玛丽·伊丽莎白·布兰登是19世纪后期的多产作家之一，她最擅长写耸人听闻的小说。在为地摊文学撰写犯罪故事多年后，她出版了《奥德利夫人的秘密》一书，故事险象环生，引人入胜。这本书和后续的《奥罗拉·弗洛伊德》都包含重婚、暴力和强势的女主角。后来她又出版了各种各样的惊悚小说（有些也不那么惊悚）。有些基本是家庭题材，有些则远非如此，但也都是将家庭生活的细节和危险事件交织在一起。

在这段节选中，清丽脱俗的奥德利夫人正在泡茶。自从 17 世纪中叶引入英国以来，茶就与女性气质密不可分地联系在一起。这一幕似乎遵循了这一惯例，但又令人极度不安——对奥德利夫人的描绘预示了某种暗流涌动。随着情节的发展，各种迹象将更加明显，在纵火、谋杀和对一个被恶魔驱使的恶棍的揭露中达到高潮。

罗伯特与外科医生握了握手，就回到了他叔叔的房间。他已经离开了大约一刻钟。迈克尔爵士又睡着了，体贴的夫人拉下了厚厚的窗帘，给床边的灯加上了灯罩。阿丽西亚和她父亲的妻子正在奥德利夫人的闺房里喝茶，那个房间紧挨着罗伯特和道森先生就座的前厅。

露西·奥德利从手上正在整理的娇贵瓷器杯子中抬起头，相当焦急地看着罗伯特轻手轻脚地朝叔叔的房间走去，然后又回到了夫人的房间。她坐在赏心悦目的精致骨瓷和闪亮的银器后面，看起来清秀纯真。当然，一个美丽的女人在泡茶时尤其动人。这种最女性化又最家常的状态赋予她每一个动作一种神奇的和谐感，她的每一个眼神都带着某种魔力。加入了秘制舒缓药草的滚烫热茶腾起漂浮的雾气，将她笼罩在一团芳香的氤氲中，透过雾气，她看起来像是一个世外仙女，用火药和武夷岩茶编织着强大的咒语。在茶桌前，她无所不能，不可侵犯。男人对这种神秘的饮品了解多少？看看可怜的黑兹利特是如何泡茶的，他的野蛮行径让人不寒而栗。慌乱的家伙笨拙地试图给茶艺巾帼长官帮忙；他们拿水壶的样子是多么绝望，他们的动作不断地威胁着脆弱的杯子和碟子，还有女祭司纤长的手。拿走茶桌就是剥夺女人的合法帝国。派几个大块头的男人在你的宾客间走来走去，分发在管家房间泡出来的混合汤水，就是把最有社交性和最友好的仪式降等为正式的口粮发放。女人优雅地操控茶杯和茶托时带来的影响，要胜过用笔尖从不情愿的男性手中夺取所有不当权力。想象一下，假如英格兰所有女性的智识都提升到与男性相当，对华丽服饰不再热衷，对珍珠粉和雷切尔·莱维森夫人[①]不再趋之若鹜，也不再费尽心机地打扮自己、取悦别人，对茶余饭后的闲话和那些连壮汉都喜欢的爆炸性丑闻和八卦更是不屑一顾，那些男人们的人生，该变得多么沉闷、功利和丑陋。

这位夫人绝称不上意志坚韧。她白皙手指上的亮钻在茶具间闪动，她低下漂亮的头，看着檀香木镶银的极品印度茶罐，一脸认真，仿佛人生中没有比泡一壶武夷茶更意

① 19世纪著名的女骗子和罪犯，曾经营一家很有名气的美容沙龙，出售高价化妆品。她吹嘘使人永葆青春的产品，后来被披露是水和麸皮制成的。

义宏大的事物。

“要和我们一起喝杯茶吗，奥德利先生？”她问道，手里拿着茶壶，停下来抬头看着站在门边的罗伯特。

“如果可以的话。”

“可你可能还没吃晚饭吧？要不要我打电话告诉他们，给你送来一些比饼干和简陋的面包黄油更实在的东西？”

“不用了，谢谢你，奥德利夫人。我在出城前吃了一些午餐。不用麻烦，一杯茶就够了。”

爱丽丝漫游奇境

节选

刘易斯·卡罗尔

1832—1898

数学家、牛津才子、摄影师和神职人员刘易斯·卡罗尔本名查尔斯·道奇森，以其儿童读物而闻名，其中最著名的是《爱丽丝漫游奇境》及其续集《爱丽丝镜中奇遇》。爱丽丝的角色是根据朋友的一个孩子——爱丽丝·利德尔创造的，尽管卡罗尔和利德尔一家之间不知何故，在本书出版时已大为疏远。

卡罗尔在几个场景中使用了食物，通常会颠覆其原意，就像他对待奇境中其他生活元素一样。比如说，素甲鱼汤是戏仿一种受欢迎的小牛头汤（也就是乌龟的身体和小牛的头）。本段节选中这场欢快的疯狂茶话会将如此常见又极为重要的场景下（过家家茶具在儿童游戏室里很常见）的礼仪和习俗概念玩得妙趣横生。

屋前的一棵树下摆着一张桌子，三月兔和帽匠正坐在那儿喝茶。一只睡鼠在他们中间睡得正香，另外两位则拿它当垫子，胳膊肘靠在它上面，越过它的头顶聊天。“睡鼠很不舒服，”爱丽丝想，“不过它睡着了，我想它也不会介意。”

桌子很大，但三个人却挤在一个角落里。“没位子了！没位子了！”他们看到爱丽丝过来，就大声叫道。“位子多着呢！”爱丽丝愤愤不平地说，在桌子一端的一张大扶手椅上坐下。

“来点酒吧。”三月兔用鼓励的口吻说。

爱丽丝环顾四周，但桌子上除了茶什么都没有。“我没看到什么酒。”她说。

“没有了。”三月兔说。

“没有了就别请我喝，真没礼貌。”爱丽丝生气地说。

“没人请你就坐下来，也不怎么礼貌。”三月兔说。

“我不知道这是你们的桌子，”爱丽丝说，“这里位子很多，远不止三个。”

“你的头发该剪了。”帽匠说。他已经好奇地打量了爱丽丝一段时间了，这是他第一次开口说话。

“你应该学会不要对人品头论足，”爱丽丝有些严厉地说，“这样很粗鲁。”

帽匠听到这句话后睁大了眼睛，但他只是说：“为什么乌鸦像书桌？”

“好啊，好玩的来了！”爱丽丝想，“很高兴他们开始出谜语了。”“我相信我能猜出来。”她大声说。

“你的意思是，你认为你能找出谜底吗？”三月兔说。

“正是如此。”爱丽丝说。

“那你应该说出你所想的。”三月兔接着说。

“我会说的，”爱丽丝马上回答，“至少，至少我想的就是我所说的——一回事儿，你知道。”

“根本不是一回事儿！”帽匠说，“你这就等于在说，‘我看到我吃的东西’和‘我吃我看到的东西’是一回事儿！”

“你也可以说，”三月兔补充说，“‘我喜欢我得到的东西’和‘我得到我喜欢的东西’是一回事儿！”

“你也可以说，”似乎在说梦话的睡鼠补充道，“‘我睡觉时在呼吸’和‘我呼吸时在睡觉’是一回事儿！”

“对你来说还真是一回事儿。”帽匠说。对话到此结束，大家都沉默了片刻，爱丽丝想了想她能想到的乌鸦和写字台的关联，可真不多。

帽匠率先打破沉默。“今天几号？”他转向爱丽丝问道。他从口袋里掏出手表，不安地看着，不时摇晃，把它放在耳边听。

爱丽丝沉吟了一下，然后说：“四号。”

“差了两天！”帽匠叹了口气。“我告诉过你黄油没什么用！”他愤怒地看着三月兔说道。

“那是最好的黄油。”三月兔恭顺地回答。

“是的，但肯定也进了一些面包屑，”帽匠抱怨道，“你不应该用面包刀往里面抹油的。”

三月兔接过表，沮丧地看了看，然后把它在茶杯里浸了一下，又拿出来看了看，但他想不出比刚才的第一句话更好的说法：“这是最好的黄油，你知道。”

爱丽丝一直好奇地从他肩膀后伸头看。“好有趣的手表！”她说，“它能告诉你今天几号，却不告诉你现在是几点钟！”

“为什么要报几点钟？”帽匠咕哝道，“你的手表会告诉你现在是哪一年吗？”

“当然不会，”爱丽丝立刻回答，“但那是因为一年要过很久。”

“一天对于我来说也很久。”帽匠说。

爱丽丝倍感迷惑。帽匠的话每个字都能听懂，就是不明白他是什么意思。“我不太明白你的意思。”她尽可能礼貌地说道。

“睡鼠又睡着了。”帽匠说，然后在它鼻子上倒了一点热茶。

睡鼠不耐烦地晃了晃头，眼睛都没睁就说：“当然，当然，正是我想说的。”

“你猜出谜语了吗？”帽匠又转向爱丽丝问道。

“没有，我放弃了，”爱丽丝回答，“答案是什么？”

“我压根儿不知道。”帽匠说。

“我也不知道。”三月兔说。

爱丽丝疲惫地叹了口气。“我想你可能应该把时间花在干正事儿上，”她说，“而不是浪费时间问些没有谜底的谜语。”

“如果你像我一样跟时间交情这么好，”帽匠说，“你就不会说什么浪费‘它’了。应该说‘他’。”

“我不懂你说的什么意思。”爱丽丝说。

“你当然不懂！”帽匠说，轻蔑地晃了晃脑袋，“我敢说你甚至从来没有和时间说过话！”

“也许是没说过话，”爱丽丝谨慎地回答，“但我知道我学音乐时，时间离不开节‘揍’。”

“啊！这就是问题所在，”帽匠说，“他讨厌别人揍他。其实只要你和他保持良好的关系，他就会让时钟按你的意思走。比如说，假设现在是早上九点，正好是该上课的时间，你只需跟他悄悄说一声，时钟就会飞转！马上一点半，到饭点儿了！”

（“我倒希望现在就到饭点儿了。”三月兔低声自言自语。）

“那当然很棒，”爱丽丝若有所思地说，“但是，到时候我的肚子还没饿，你知道的。”

“一开始也许你还不饿，”帽匠说，“但你可以把时间停在一点半，想停多久停多久。”

“你就是这样干的吗？”爱丽丝问。

帽匠悲哀地摇摇头。“我没有！”他回答，“去年三月我们吵架了——就在他发疯之前，你知道——（用茶匙指着三月兔）那是在红桃皇后举办的盛大音乐会上，我唱了一首：

‘一闪一闪呼噜噜，漫天都是小蝙蝠！’

你可能听过这首歌吧？”

“我听过差不多的。”爱丽丝说。

“你知道，”帽匠继续说，“接下来这么唱：

‘飞来飞去停不住，好像茶盘漫天舞。

一闪一闪……’”

这时睡鼠动了动，在睡梦中唱起来：“一闪一闪一闪一闪……”一直唱个没完，他们只好掐了它一下让它停下。

“然后，我刚唱完第一节，”帽匠说，“女王就跳起来大喊大叫：‘他在扼杀时间！砍了他脑袋！’”

“太残忍了！”爱丽丝叫道。

“从那以后，”帽匠用凄楚的语气继续说，“我说什么他都不听了！我被永远困在了六点钟。”

爱丽丝脑中灵光一闪，“所以桌上才会摆了那么多茶具？”她问。

“是的，正是如此，”帽匠感叹地说，“一直都是喝茶时间，没时间洗茶具。”

“然后你们就一直转着圈换位子，对吗？”爱丽丝说。

“没错，”帽匠说，“茶具用过了就挪个位子。”

“那你们转回一开始的位子时会怎样？”爱丽丝壮着胆子问。

“不如我们换个话题吧，”三月兔打断了他的话，打了个哈欠，“我都听腻了。我提议请这位年轻的小姐给我们讲个故事。”

巴黎被围困居民的日记

节选

亨利·拉布谢尔

1831—1912

1870年普鲁士军队围攻巴黎，试图击败拿破仑三世。这是法国首都的决定性事件之一。普鲁士军队的围困持续了五个月，在此期间，那些没有先知先觉地逃离的居民开始弹尽粮绝。亨利·拉布谢尔是一位外交官，后来成了激进的政治家和记者，他一直留在这座城市，为他拥有部分股权的《每日新闻》撰写尖锐的文章。这些文章后来被结集成书。

在这段节选中，事情刚开始急转直下；到11月，富裕些的居民吃掉了巴黎动物园的“住客”，而对穷人来说，老鼠的价格高得令人不安。这表明拉布歇尔意识到了不平等的问题，即使他自己并未遭受困窘。围困于1月结束，但随即发生了巴黎公社革命和“血腥一周”，据估计在此期间有多达一万人死亡，卢浮宫建筑群的一部分——杜伊勒里宫被烧毁。

10月20日。“在此告知普瓦雷特先生的顾客，每人只能点一盘肉。”这是我去最喜欢的肉汤店就餐时，在墙上看到的骇人通知。天哪，那一份才多么一点啊！给一位刚刚在午餐时吃得饱饱的纤纤淑女当晚餐，都还不够。如果像他们告诉我们的，肉供应充足，还可以撑五个星期，那么肉的分配方式可称得上糟糕至极。在一间有数百位中产阶级人士就餐的大型大众餐厅里，每个人得到的那一点猫肉或马肉只够勾起馋虫；在林荫大道上昂贵的咖啡馆里，给那些一掷千金的冤大头提供的服务，价格足以包下豪华筵席。我尊敬的共和党人，在餐馆里建立“自由、平等、博爱”的制度，远比在你们的教堂上用金字写下这句标语更来得实在。

在每个大城市里，匮乏和苦难都随处可见。在这里，尽管应该向所有需要救助的人提供救助，但我担心许多人会因为官僚热衷于把人分为三六九等而忍饥挨饿，这是法兰西的诅咒。吃完寒酸的晚餐后，我到河边的码头上散步，胃就像奥利维尔先生的心脏一样空空如也，这时我看到一个女人靠在护栏上。我经过她身边时，她转过身来，对面杜伊勒里宫大门的灯光照在她脸上。她看起来诚恳而亲切，但又是那么憔悴，那么无望，所以我停下来问她是否病了。“只是又累又饿，”她回答说，“我走了一整天，从昨天起就没吃过东西。”我把她带到一家咖啡馆，给她买了些面包和咖啡，然后她给我讲了她的故事。她是一个来自弗朗什·孔泰的乡下姑娘，到巴黎找活计。但她很快就厌倦了做帮佣，在过去的一年里，她靠在一家大型批发公司缝制马甲来养活自己。围困开始时，她被解雇了，有几天她在一家政府工场打了几天工，但在过去的三个星期里，她一直四处奔波，徒劳地寻找工作。

她把她的衣服一件一件地全卖掉了，除了身上穿着的单薄衣衫，她一直靠面包和芹菜为生。前一天，她花光了最后一个苏，当我看到她时，她饥肠辘辘，筋疲力尽，准备投河自尽，一了百了。她说：“但是水看起来很凉，我不敢跳。”巴黎灰姑娘说话的方式，与法国浪漫小说中的那些欢快轻浮的角色截然不同，后者住在阁楼上，窗户在鲜花的掩映中，有学生向她吐露爱慕之情，几个小时内赚到的钱足够她在一周里余下的时光里跳舞、闲聊、自娱自乐。当我听她说话时，我为自己因只吃了一盘肉而抱怨不休感到羞愧。

这个可怜的女孩经历的无望与凄惨是如今她所在的阶层中许多人的境遇。但他们为什么要抱怨呢？难道威廉国王不是上天的使者吗？他不是在从事一项神圣的事业吗？国王应该战斗，女裁缝应该哭泣，这是人世间的自然规律。如果法国男人和女人完全不知道什么是正当的，竟然敢于反对自己的国家被肢解，不明白他们在阿尔萨斯的同胞被转化为德国的臣民是多么合适和正确，那么他们就只配被屠杀或被剥夺一切。

家室之累

节选

玛丽·伊丽莎白·布兰登

1835—1915

玛丽·伊丽莎白·布兰登的另一个片段节选，选自她的一部家庭小说（它仍然在结尾时将女主角置于被一个卑鄙的潜在强奸犯威胁的黑暗险境中）。1875年，布兰登自己的生活因她与出版商的重婚而陷入麻烦，出版商的第一任妻子被关在精神病院。丑闻曝光后，她所有员工都辞职了，她和丈夫不得不搬家，以使流言蜚语消退。

这段文章的妙处不仅在于仔细观察一顿糟糕的晚餐对良好关系的负面影响，还在于将这一切的代价细细道来。这是一篇对糟糕食物的颂歌，让读者不禁对赫尔曼浪费的机会感到悲伤。

他们要在七点半进餐。六点时，客厅的女仆给她送来了一杯淡而无味的茶，和一片涂着厚厚黄油的新烤面包。这杯茶没能让她恢复精神，她发现自己在家庭生活的第一天就陷入了郁郁寡欢。

但最后，就在她穿着简单的晚餐服下楼的时候，钥匙声在门外响起，赫尔曼出现了。欣喜的相见，热切的欢迎，如同久别重逢。

“怎么了，亲爱的，你看起来苍白而疲惫，”他说着，和她一起走进书房，“我希望你没有为家务事过于操劳吧？”

“哦，没有，亲爱的，只是……”

“只是什么，我的宝贝？”

“没有你的日子显得如此漫长而无趣。”

“是吗，亲爱的？”他感叹道，为她的表白感到高兴。“也许我不该在第一天就去镇上。我只是急于想见斯坦迪什，跟他谈谈我的小说，还想听听他在过去六个星期里做了些什么。你去散步了，我猜？”

“什么，独自一人，赫尔曼，在这个陌生的地方！”

“啊，当然了，你对附近的情况还不熟悉。这里有些不错的适合散步的地方，比如说，巴恩斯公地，从这里走过去不超过半小时，还有温布尔登，几乎一样近，下周我一定要带你去看看。现在我要去洗手准备吃饭了。我没有吃午饭，是为了郑重对待我们的第一次家庭晚餐。”

“我希望晚餐能不错，亲爱的，但厨师相当年轻。不过，她似乎很懂事，而且非常自信。”

赫尔曼和他的妻子去吃晚餐。庞贝风格的餐厅里的餐桌看起来足够漂亮，装饰着纤薄的现代玻璃和沉甸甸的旧银器——后者是乡绅送给他女儿的礼物；但晚餐本身是失败的，赫尔曼对此的怨念比伊迪莎觉得一个诗人所能表达的抱怨还来得强烈。

鳎目鱼外面烧焦了，里面还没熟；禽肉是赫尔曼近期来遇到的最老迈、最强韧的鸟类，而瑞士鸡肉也早就不年轻了；火腿是半生的，又硬又咸；野鸡肉被炖到脱骨；面包沙司太稀；肉汁油腻腻的，尝起来只有李派林喼汁和黑胡椒的味道；点心简直是一口铅制的棺材，里面埋着几个半生不熟的苹果；蛋奶羹坨了。好在到了吃甜点这个阶段之前，赫尔曼已经因一连串的失望而破坏了好胃口，早已心灰意冷了。

哦，那些可口的俱乐部晚餐——如此简单，如此实惠！一条白鲑鱼，脆生生的，煎至金黄，鱼嘴衔着尾巴——永恒的绝妙象征；纵切的腰肉，由一位将烤肉提升到科学高度的厨师烘烤而成。赫尔曼没有讲求实际到去计算第一次家庭晚餐总开销的程度，否则他会悲哀地发现这笔账目绝不是家常便饭。

食材	英镑	先令	便士
鳎目鱼		2	6
禽肉		7	6
火腿		13	7½
野鸡		8	
牛肉汁、蔬菜、蛋、黄油、猪油及其他		5	
总计	1	16	7½

（英国旧时币制 1 英镑 =20 先令，1 先令 =12 便士，译者注。）

他在俱乐部的晚餐花费三先令六便士。但是他不能带伊迪莎去俱乐部，在英国人的心目中，在外面吃饭不利于家庭生活，这是一个既定的原则。

“亲爱的，恐怕你的晚餐吃得不开心。”伊迪莎紧张地说。这时，动作缓慢而庄重的女佣已经扫掉了桌布上的最后一块面包屑，并停止倾听韦斯特雷先生和夫人的谈话。

“我们不会将其称之为晚餐，伊迪莎。每样东西都难以下咽。明天你必须这样告诉你的厨师：如果她不能做得更好，你就要让她卷铺盖走人。如果你多用点心，肯定会有很多好厨师可找。”

伊迪莎叹了口气。不知何故，这似乎是一个糟糕的开始，尽管在她看来这件事微不足道。赫尔曼喝了几杯红葡萄酒，克制了发脾气的冲动，然后他们回到漂亮的小书房里。在这个沉闷的十月傍晚，火焰在壁炉里欢快地跳动，他们像老夫老妻一样相对而坐，伊迪莎又高兴起来了。

费舍夫人所知道的老式南方烹饪

节选

艾比 · 费舍

1831—1890

英国对美国的统治于 17 世纪 80 年代结束，但他们引入的不人道的奴隶制度一直延续到 1865 年。一个多世纪以来，非裔美国人在法律上一直被视作低人一等，遗憾的是，奴隶制的遗留问题至今仍留有痕迹。多年来，人们认为，艾比 · 费舍的书是最早由非裔美国人撰写的烹饪书，其实还有几本比她的书更早。然而，这本书仍然很重要，无论是因为它的出版历史还是它的优秀食谱。这本书是由费舍（她是个文盲）口述给一个受托人的，这在一定程度上解释了其特殊的拼写方式。此书由一个妇女合作社出版。费舍本人是一位成功的厨师和餐饮业者，她的蜜饯赢得过奖项。她的书中有许多食谱，这些菜肴现在被视为南方腹地烹饪宝典的一部分。几乎可以肯定，她是奴隶出身。

我在旧金山和奥克兰的女性朋友和顾客经常要求我出版一本书，介绍我关于南方烹饪、腌渍和果冻制作的知识和经验，在 1879 年的州博览会期间，萨克拉门托的女士们也提出此要求。我自己不识字，我的丈夫文化水平也不高——由我口述他写作——让我怀疑我是否能交出一部让人完全满意的作品。但是，经过慎重考虑，我还是决定将我通过 35 年多的经验所积累的知识写成一本书，内容包括烹制汤、羹、炖龟肉、炖肉、烤肉和烧肉、糕点、馅饼和饼干，以及制作果冻、腌菜、酱汁、冰激凌和果酱、蜜饯等等。这本书将提供详细的指导，让孩子都能够看懂并学会烹饪的艺术。

此致，

艾比 · 费舍夫人

曾居住于亚拉巴马州莫比尔市

炸鸡

把鸡切开，分割所有关节，清洗干净。撒盐和胡椒粉，然后在面粉中滚匀。将油烧热，放入鸡块，炸至变色，到叉子能轻松插入鸡肉时即成。鸡肉全熟后，在锅中留少许热油，然后取一汤匙干面粉，在油中煎至棕色，充分搅拌，然后边搅拌边倒入水，直到肉汁稀得像汤一样。

秋葵浓汤

取一块牛腿肉，将其分割成块，放入一加仑水中烹煮。当水蒸发至一半，滤去杂质后重新放回火上。将秋葵切成小块，放入汤中；不要把秋葵柄加入。炖煮过程中用盐和胡椒调味。偶尔搅拌一下，避免糊底。与干米饭一起送上餐桌。煮米饭时切勿搅拌。煮饭前一定要加盐调味，不要放太多水。

甜味薯饼

两磅土豆可以做两个馅饼。将土豆煮软，去皮并趁热用压碎器捣成泥，将一汤匙黄油捣入土豆泥。取五个鸡蛋，打散，加入一及耳（142 毫升）牛奶，按口味加糖。挤出一个橙子的橙汁，再将半个橙子的皮磨碎加入。在土豆中加入半茶匙盐。在烤盘底铺薄薄一层。快速烘烤。

克里奥尔杂烩

一加仑青番茄，切成薄片，半打黄皮洋葱，切成薄片，一加仑红酒醋，两杯红糖，一汤匙辣椒粉，一汤匙黑胡椒，一汤匙姜黄粉。把洋葱和番茄放在一个小桶或罐子里，在上面撒上一品脱盐，静置二十四小时，用滤网把盐水沥干，倒入醋并加入调味料，然后文火熬制，不时搅拌以免糊底。做这道菜需要一整天时间。你可以按需加量或减量，想做多一些，可以将蔬菜和调味料的量加倍；想做少一点，可以按比例减少，比如说只用一半的量，如果只用半加仑的西红柿，本食谱中的其他配料也应减半。

渍西瓜皮

刮掉所有瓜瓤，取出瓜皮，然后小心地将硬外皮切掉，留下白色部分，在上面撒满盐。在腌制前要盐渍一周，瓜皮可以用盐保存整年。制作时，将瓜皮从盐中取出，放入清水，一天换三次水——必须每四个小时换一次——然后将瓜皮从水中取出，用干净的布擦干。将醋煮沸，将瓜皮放入烫四分钟，然后关火，在醋中泡四天；然后从醋中取出，沥干，撒上厚厚的糖，放置一天。下一步制作糖浆，取瓜皮渍出的浆液，再加入八磅糖，然后煮沸；熬出浓稠透明的糖浆。十磅瓜皮要用到十二磅糖；四磅糖用于渍瓜皮，其余八磅熬糖浆。熬糖浆时，加入一茶杯路边姜和三个柠檬的外皮。糖浆熬好后，将瓜皮放入继续熬，至叉子可以轻松穿透，即可完成。冷却后，将一品脱醋放入罐子或瓶子中，加入一夸脱糖浆，这就是渍瓜皮的做法。要注意确保瓜皮要完全浸入醋和糖浆。

炖水龟

应选用雌龟，将活水龟下到沸水中。煮十五分钟，然后将龟壳取下，要小心不要弄破苦胆。将内脏清理干净，用刀刮去龟脚上的黑皮。六只水龟可供十二人食用。将龟肉彻底清洗干净后，放在清水中浸泡十分钟，然后放入罐子加半品脱的水，慢火炖三个小时左右。煮六个鸡蛋，将蛋黄碾碎。在鸡蛋中加入半磅优质黄油，搅打至奶油状。在蛋糊中加入一品脱雪利酒，搅拌均匀。然后逐步将其加入炖罐中，反复搅拌，使其充分混合。炖煮过程中，将一茶匙上好的芥末和一汤匙红酒混合，放入罐中。出锅前放入一个切成薄片的柠檬。三个小时的时间足以炖烂。如果你担心将雪利酒加入蛋糊时会弄不好，最好把酒直接放入炖锅，这样就不容易出错。按以上步骤，你就能做出完美的炖水龟。如果你喜欢，可以加入一茶杯甜奶油让味道更好，还有十几颗多香果。盐和胡椒粉凭口味添加。

冰镇奶油菠菜

选自《冰之书》

艾格尼丝 · 马歇尔

1855 — 1905

烹饪书作家、发明家和企业家艾格尼丝·马歇尔是维多利亚时代后期烹饪界的一位成就斐然且非常重要的人物。她经营着一所烹饪学校，是《餐桌》杂志的编辑，到处发表演讲并出版了四本书。这本《冰之书》是她的第一部作品，与她最深入研究的冰品的历史有关。

维多利亚时代的冰品口味繁多，马歇尔的食谱富有创新精神而且风味不俗。冰品通常被当作一道甜点，可以使口腔清新，给疲惫的食客提神。这款冰品让人想起 18 世纪（及更早）的馅饼和布丁，那个时代还没有化学食用色素，使用菠菜往往不是为了其口味，而是取其鲜绿色作为点缀。马歇尔也推广人造色素和调味剂等现代产品，为了保证效果，她还是添加了一点额外的色素。

将两三把菠菜放入冷水中，加盐和一小撮小苏打；煮至沸腾后滤水并挤出汁液。将半品脱牛奶煮沸，浇在 4 个蛋黄之上并加以搅拌，再置于小火上熬至浓稠——不要烧到沸腾；加一点苹果绿上色，在半品脱奶油冻中加入一小勺细砂糖和一小撮盐；与菠菜混合，过筛，然后冷冻；当开始冰冻时，加入半茶杯加了少许细砂糖的打发奶油。冻硬后在冰窖中放入那不勒斯盒子约 1.5 小时定型；然后切成小块。摆入盘中，周围和中心铺上冰冻奶油。需要使用一品脱奶油、一中匙细砂糖、等量的橙花水和几滴香草精。冻成固体并放入边框模具中成型。

餐桌礼仪

选自《白宫食谱》

范妮 · 莱米拉 · 吉列

1828—1926

和雨果 · 齐曼

1853—1904

《白宫食谱》(1887)是当时有抱负的社交贵妇——包括白宫住户的必备书籍之一。第一版由范妮·莱米拉·吉列撰写，她自称“对烹饪和家政进行了终生的深入研究”，特别是针对美国家庭。本书与白宫只有极为微妙的联系。在第二版中，她与白宫管家和著名的法国厨师雨果·齐曼合作。他对总统府内部运作的洞察是这本书的卖点之一。

以下节选自关于礼貌行为的章节。19 世纪后期，建议类书籍大量涌现，特别是那些指导菜鸟如何在比自己的阶层略高的社会中避免犯错的书籍。然而，持有一本礼仪书本身就是一种露怯的表现。对许多人来说，如果你不是情出自然，就没有权利装模作样。

关于餐桌礼仪的建议:

饭桌上的斯文举止会给一个男人和女人定性，因为人们一眼就能看出一个人是否受过良好的饮食训练，即正确地握住刀叉，吃东西时嘴唇不发出一点声音，安静地喝酒，正确地使用餐巾，使用餐桌上的餐具时不要发出声响，最后，但也是最重要的，细嚼慢咽。所有这些要点都应该认真地教给孩子们，这样他们就会在这个国度中最盛大的餐桌上举止自若。没有什么地方能比在餐桌上更充分地展示一个人与生俱来的高雅气质，也没有什么地方能让那些没有接受过餐桌礼仪训练的人更真切地意识到自己露怯。不该用刀把食物送到嘴里，刀只应该用来把食物切成小块；然后把它放在一边的盘子里，用右手拿着叉子，用它吃掉所有食物。当刀叉都用完后，应该把它们斜放在盘子里，两个把手都朝向右边；训练有素的服务员就会明白这是需要把它们和盘子一起拿走的信号。

咀嚼食物时要注意紧闭嘴巴。正是嘴唇张开导致咂嘴，这会非常令人不快。仔细咀嚼食物，但要安静地咀嚼，并注意要小口小口地吃。可以用刀把肉切成小块，大块的肉对健康无益，而且显得很不雅观。在许多时候，餐桌上放着两三把或更多的刀叉，刀在盘子的右手边，叉子在左手边——每道菜都有刀叉，这就不需要在早餐或晚餐上桌后更换它们。较小的刀叉用于吃野味、甜点或早餐时的热糕点，可以放在盘子边沿之下，而用于肉类和蔬菜的较大的刀叉则放在盘沿外侧。要非常小心，不要让你的刀叉和盘子碰出响声，使用的时候也不要发出声音。当你要拿取食物时，不要等到桌上的其他人都取完了才拿，这显得缺乏教养。当递过盘子第二次取食物时，应将刀叉一起放在盘子的一侧，把手朝向右侧。汤总是在第一道上，应该用甜点勺吃，从边上而不是中间舀，嘴唇不要发出任何声音，也不能从勺子的侧边两端出声地吸进嘴里。不要把面包掰碎放入汤或肉汁。永远不要盛第二次汤。女主人可能会请你再取一盘汤，但你要礼貌地拒绝。据说用汤盘装的鱼杂烩汤是一个例外，这个规则已得以证实，如果想要，可以再盛一盘。

另一项普遍被忽视的礼仪是，给面包涂黄油时面包应放在盘子里，或者在盘子里把面包的一端掀起一点；经常有人凌空涂黄油，咬上一口，当着桌上的其他人，面包上还有牙印。这当然不很令人愉快，最好在涂上黄油后一次切一点，然后用手指捏着一块一块地放在嘴里。永远不要用自己的刀叉去取黄油或任何其他食物。在同一个盘子里将食物混在一起不是好品味。盐必须放在盘子边上，而绝不能放在桌布上。

伦敦旁观者

节选

玛丽 · 克鲁特

1851—1927

玛丽·汉娜·克鲁特是美国著名的记者和女性选举权的积极倡导者。她将她的旅行与关于妇女权利的演讲以及撰写文章相结合。从1895年到1898年，她是《芝加哥国际海洋报》的通讯员，并于1899年将她的文章（其中包括对女王六十年登基庆典的观察）结集出版。

在这段节选中，她以局外人的眼光看待伦敦采购和准备食物的方式，以及英国和美国食物之间的对比。她所描述的大部分内容在今天看来也并不陌生。那个拖着冰块的男孩很可能是在把它送往一个想制作冰激凌的家庭（冰块和盐混合后用作冷冻剂）。那些冰是从北美或加拿大进口的。

到了 7 月 1 日，就会感觉到热浪滚滚——不是那种烈火般的、沙漠风暴一样的酷热，而是潮湿的、令人窒息的天气。在这期间，天空偶尔会笼罩在淡灰色的云层中。由于某种神秘的原因，85 华氏度比在美国时更高的气温更令人压抑，即使对于那些习惯了热带地区的美国人来说也是如此。如果旅居的美国人已经感到不适，那么土生土长的伦敦人则会挥汗如雨、气喘吁吁，甚至死于中暑，或者所谓的“热射病”。除了使用冰块，他采取了一切可以利用的降温手段。然而，人们可以看到，即使对冰的最后极端偏见也在动摇。如今摄政街和其他地方的各种时尚餐厅都提供美国的“冰激凌苏打水”，而且，随着大批美国游客频繁光顾，享用他们熟悉的家乡茶点，可以看到越来越多的英国人也带着某种心不甘情不愿的满足感喝起了冰镇饮料。最重要的是，在一个 8 月的早晨，我看到一个小伙子用手推车拖着一大块冰走在斯隆街上。首先，看到冰块已属不易，而在晶莹的冰块上，以某种方式固定了一个标牌，清清楚楚地写着购买者的姓名和地址，就更难得一见。这是为了确保将其安全地送到正确的主人手中而预先采取的谨慎措施，因为寻常的英国人绝不会在自家屋檐下接受这种我们认为是生活必需品之一的东西，他们可是把美国的消化不良全归咎于冰块。

虽然最近运到的加州水果在伦敦市场上畅销，但它是否会获得青睐还很值得怀疑。人们认为它们徒有其表，而且几乎无法与不那么令人赏心悦目的本土水果相提并论。英国的水果产量较小，但在口感的细腻和奇妙方面无可匹敌。英国和苏格兰的草莓是无与伦比的，大到一颗果子要好几口才能吃完。它们清甜如蜜，几乎无籽。醋栗几乎无人赏识，但它甘美可口，大如李子，几乎和草莓一样甜。

英国人的严肃让他们不喜欢把水果弄熟，除了那些填在水果挞里的，其他水果都原生态地出现在餐桌上，装在用优美的树叶图案饰边的盘子里。水果构成了严格意义上的甜品——我们不分青红皂白地使用的术语——为了与以前那些甜食区分开来——软糯的白芒果、用爱尔兰苔藓凝固的果冻、又韧又硬的布丁，以及上面提到的水果挞。英国的苹果，除了少数精选的和昂贵的品种外，在外观上完全惨不忍睹，但它不可貌相，就像人们说起的相貌平平的女孩，“她们不漂亮，但人很好”。最小的、多疤的和最不起眼的那些可能拥有色彩鲜艳的美国大苹果所缺乏的品质，而且它们像野蔷薇一样散发着芬芳。

1895年，苹果迎来了空前的丰收，枝丫被沉甸甸的果实压弯折断，果树下散落着厚厚一层果实，但价格太低了，农民把果实送到市场上出售什么也赚不到。数百蒲式耳苹果白白浪费掉，因为现在酿造苹果酒几乎是个不为人知的行业，因为适合酿造的时节屈指可数。

英国李子是天下无敌的。我见过一棵树被累累硕果压弯了枝条，从火车车厢的窗户匆匆一瞥，看起来像深红色的梨。那些李子，外皮粉红，内有丰腴的黄色果肉，口感甜美细腻。英国梨子，尤其是那些长在树篱上的梨，完全比得过美国最好的品种。只在温室里成熟的桃子和葡萄在形状和颜色上都很漂亮，但它们令人失望，桃子尤其寡淡无味。英国的蔬菜品质不凡，生菜和芹菜脆嫩，带有坚果的甜味。

英国的食物总的来说都很好吃，但是有些千篇一律，即使最出色的亮点，也有些令人厌倦。可抱怨的正当理由并不多。人们偶尔会想挑厚重的面包卷或酸面包的毛病；硬牛排、硬排骨和多筋的牛肉显然也没人知道；人们可以找碴儿批判没有熟透的土豆，也可以谴责将薄荷与豌豆同炖的做法——这种组合对未经训练的味觉来说完全难以接受。汤是无可指摘的；在劫难逃地沾着蛋泥的鱼也是如此；整鸡配着面包沙司，鸡胗整齐地塞在一只翅膀下面，鸡肝在另一只翅膀之下，让人对英国小说中出现的令人迷惑的词“肝翅”茅塞顿开。我们已经提过英式馅饼，但显然不会就此作罢；这东西可以用都铎式的建筑风格来形容，它是如此之大，如此之结实，如此之坚固，让不明真相的人以为是政府招标建造的。

让美国人大惑不解的是，为什么英国人会对两样东西进行明目张胆的垄断，而这两样东西即使手头拮据的人也能轻易得到——锋利的刀子和薄面包片加黄油。两者在大西洋彼岸均几乎不为人知，我记得在克拉布·罗宾逊的日记中读到他是如何徒劳地指导他的西班牙朋友莫斯奎拉夫人切面包和黄油的，当时她被要求招待随英国舰队意外抵达科伦纳的荷兰勋爵和夫人。

“为了不出错,”他写道,“我要求他带一块面包来,我亲自切了几片，切得像威化饼一样薄，告诉他们应该这样装在盘子里。”尽管他已经尽力，他接着写道:“客人到达后，一个巨大的盘子被摆了出来，其大小类似于希律王的继女用来将施洗约翰的头颅放在上面的容器。上面还有一个巨大的银盘，上面堆满了一英寸厚的面包和黄油，足以喂饱整间威斯敏斯特学校的人。”

英国的面包和黄油，就像英国的草坪一样，必须被视为是世袭的和本土的——民族特性和几个世纪风俗的产物。英式茶，对于喜欢茶的人来说，是美味的，但一杯好咖啡却是几乎无人知晓的事情。除了晚饭后带进客厅的那一小盅黑咖啡外，人们很少喝它。早餐桌上的咖啡通常呈淡紫色，味道寡淡，带有淡淡的甘草味。总体而言，这种难喝程度只有在我们西部的农家才有，那里的烹饪技术还处于原始阶段。一位住在肯辛顿大厦的开朗的美国人，用一种无须当真的夸张言语说:

“我厌倦了大块肉、煮蔬菜和牛奶布丁，我愿意用我不朽的灵魂来换取一顿美式晚餐。”

她的言辞很激烈，但她在伦敦生活了五年，很想家。到访美国的英国人对美国菜肴的反感也很明显，很少有人不想吃自己故土的烤牛肉。萨拉——一位非常挑剔的美食家——只喜欢我们的牡蛎；一位在堪萨斯逗留过一段时间的年轻英国女孩坦白说："这里的食物根本难以下咽，你不觉得吗？而且是用很多小不点儿的盘子装着，小得跟鸟的澡盆一样。"

伦敦市场上的鱼是无可匹敌的，鲑鱼、比目鱼和鲽鱼是首选品种；牡蛎，即使是在当地备受推崇的，也都很小，呈古铜色。

火腿和培根名不虚传，新鲜的鸡蛋也和他们声称的一样好。曾经有一种观点认为，鸡蛋上的蓝色字母印的日期与它从鸡窝中拿出的日期有关，但有时人们也有明确的理由认为该日期与鸡蛋的芳龄无关。应该说，在餐桌上将鸡蛋打入杯中，然后将蛋白和蛋黄与盐和胡椒混合在一起的做法被视为是野蛮的和令人作呕的，有志于在英国社会出人头地的美国人在买蒸汽船票之前应该认真学习如何按照既定惯例进食鸡蛋。

简朴的鳎目鱼

选自《奥托吕科斯的盛宴》

伊丽莎白·罗宾斯·彭内尔

1855—1936

《奥托吕科斯的盛宴——一个贪婪女人的日记》是最初为《帕尔商场公报》撰写的关于食物的随笔集。作者伊丽莎白·罗宾斯·彭内尔是一位定居在伦敦的美国记者。她的写作题材广泛，但艺术评论、游记（她热衷于骑自行车）和美食随笔是她所擅长的方面。

彭内尔和她的丈夫在伦敦的家中经营一家文学沙龙，并且与时尚艺术界交流广泛。她是当代和历史食谱方面书籍的重要收藏家。这段节选是她天马行空的抒情风格的典型代表，其背后是对精心编撰的食谱和美味食物的深刻理解。这本书在1901年更名《精致饮食的乐趣》。

你是否对鳎目鱼有过想法：简朴的、不显眼的鳎目鱼，一身贵格式的装束，在每个鱼贩的橱窗里敲出一个安静的灰色音符，对那些虚荣地展现其绿色嚣张的鲭鱼和在路人面前炫耀其猩红胆量的龙虾来说，是坚决的斥责？它只管静静地出众着；不以任何伪饰的魅力为基础来吸引人的注意。它平实而难以捉摸，它似乎在寻求退隐，乞求被遗忘。然而，年复一年，它继续存在，毫不张扬，而且价格节节上涨；年复一年，它在每家管理卓越的餐馆的菜单上牢牢地确立了自己的头牌地位。

但不妨暂停片刻，仔细思忖。因为正是这张餐桌成了鳎目鱼的败笔。如果说鳎目鱼被恶意攻击和误解，那是因为它被包裹在面包屑中，在冷漠的黄油中煎炸，已经成为酒店或养老院晚餐的象征，直到轻浮和无知的人开始相信它不能以其他方式存在，相信它困在无法抗拒的面包屑中，必须在缄默的海洋中沉浮。

然而，有良知的美食家所知更多。他知道面包屑和煎锅与它的圣器相比，根本不值一提。有人说，鱼的数量和各种形状并不“比它们不同的本性、倾向和行为更奇怪或更适合思考”。但是，更适合沉思的主题，也是更古怪的，是它们奇妙的、近乎无限的烹饪野心。他们中最谦逊的人都渴望取得一个又一个的胜利，如果这种崇高的渴望总是被压制，被挫败，被误解，那么错就错在沉闷的、乏味的、缺乏进取心的人类。没有一个人像鳎目鱼那样向往着无限的目标，没有一个人像鳎目鱼被如此冷落和奴役。它是鱼中冒险者诺拉，它多少次渴望逃脱，过自己的生活——或者，更准确地说，按自己的心愿死去！

并不是说面包屑和煎锅都一无是处。只要有一位谨慎的厨师、纯正的初乳黄油、一灶旺火和一片新鲜多汁的柠檬，就可以达到完美程度。但还有其他方式，更有启发性，更鼓舞人心，更有神性。找位法国厨师，学习他的智慧。

在这个辉煌的剧目中，首席是“诺曼底”鳎目鱼，其另外一个名字是马奎里餐厅的特色和骄傲。拿出你的鳎目鱼——最好是来自迪耶普水域——把它放在一个漂亮的陶盘里，在黄油的陪伴下，对它进行深情的、情人般的爱抚。同时，在富有同情心的平底锅里，放进两打贻贝，当然要打开并清洗干净，让每只贻贝都在热辣的菌类社会中乐不可支，将熟未熟时，把它们摆成一个花环，围着迫不及待的鳎目鱼，用浓郁的白酱遮蔽它们太过诱人的美丽。在烤箱里用几分钟重新点燃它们的激情，然后立即趁热食用。快乐是其结果，纯粹的、未被玷污的快乐。如果对于你的口味来说这种做法太简陋了，那就按照以下方式宏大地追求更繁复的感官体验：从一开始，就把鳎目鱼和它的两个最忠实的崇拜者——牡蛎和贻贝——相互结合，比如说，每种 12 只，让百里香和香草、洋葱、白葡萄酒和松露成为它们结合的亲密见证。然后抓住半熟的鳎目鱼，轻轻地在另一个盘子上展开，然后飞速放上滚热的牡蛎和贻贝。这个方子里的调味酱也是白色的，必须以小牛肾和咸猪肉为基底，以原汁鱼汤提鲜调味。可以加入蘑菇和柠檬片进行装饰。如果你在吃第一口的时候没有感到欣喜若狂，那么泰晤士河的幽深与泥泞也无法藏匿你的羞耻。

经历了最严峻的考验，鳎目鱼对牡蛎一片痴情，永不背弃。如果你想被说服——这值得一试，就用填馅鳎目鱼来试验吧。这道菜如此完美，如同神赐甘露，肯定是直接来自天堂。用简单实用的语言来说，这道菜是这样构成的：牡蛎和松露制成的肉馅塞进鳎目鱼，用盐、胡萝卜和柠檬调味，然后在白葡萄酒中浸泡——不能是甜的，否则就亵渎了鳎目鱼，在烤箱中烘烤，然后把喜滋滋的鱼放在牡蛎和松露的浓厚的汤汁中。或者，能带给你巨大福祉和启示的另一个温柔的创想，是鲜虾填馅。在这种情况下，最好先将鳎目鱼切片，并用鱼片包裹混合了黄油的虾蓉。浓厚的贝夏梅尔酱和柠檬的点缀使这道菜变得如大师手笔，在它面前，就像在委拉斯凯兹的惊世画作面前一样，所有批评者都会噤若寒蝉。

她做了晚餐

无名氏，1900

这首匿名诗作发表在环球烹饪与食品协会的杂志《食品与烹饪》上。这个协会是一个会员组织，由瑞士作家兼厨师查尔斯·赫尔曼·森领导的一群厨师创立。其成员包括顶级酒店厨师和皇家厨师，以及数百名在该行业下游劳作的男女。

每期《食品与烹饪》都包含各种文章，从讨论满足素食者的最佳方式到为英国厨师强有力的辩护。它通常包括来自盛大场合的菜单范例、新食谱和烹饪节目的报道，而旁门左道的内容更多，下面就是一个很好的例子。

其内容，真的不需要进一步解释了。

他坐在餐桌旁
不满地皱着眉头。
土豆和牛排没熟，
面包烤得太焦了，
馅饼太酸，布丁太甜，
牛肉太肥，
汤太油腻，还有，太咸，
这玩意连给猫吃都不见得合适。
“我希望你能吃到我妈做的
那种面包和馅饼。
这么说吧，光是瞅一眼她做的一片蛋糕
都能让你受益匪浅。”
妻子微笑着说：“我的厨艺会随着年头日益精进，
不过我现在只是个新手；
但是你妈妈来看我们了，
今天是她做的晚餐。”

——《食品与烹饪·趣闻版块》

御厨

节选

加布里埃尔 · 舒米

1883—1957

加布里埃尔 · 舒米的自传是有关维多利亚统治末期皇家厨房生活的独家资料来源之一，这部作品是对皇家服务生活的引人入胜的展示。1898 年，16 岁的舒米以学徒的身份进入厨房。他的记忆其实是关于下一个王室统治时期，即爱德华七世时代，在此期间他的职位不断上升，转到波特兰公爵官邸做厨师，后来重返王室，在已丧偶的玛丽王后手下服务。

这段节选讲述了 1902 年爱德华七世加冕前夕突然生

病时，楼下仆人的反应。阿尔伯特亲王重新组织了王宫剩菜的分配方式，着眼于公平和避免浪费，由此证明了这个系统的运行是多么顺畅。

一份合适的菜单终于准备好了。早在六月前由梅纳格先生精心拟定的十四道菜就已经提请给爱德华国王和亚历山德拉王后审查。菜单被批准了，国王还发来消息说他对宴会菜单非常满意。加冕典礼的订单已下达给商人——两千五百只肥美的鹌鹑、三百条羊腿、八十只鸡以及一系列其他订单。其中还会有鲟鱼、鹅肝、鱼子酱和芦笋。鱼类菜肴是用五种不同配菜装饰的鳎鱼。甜品有利口酒果冻和米拉马勒草莓盒，这是一道以草莓为主料的菜式，制作盛放甜点的糖篮的糖果商和制作草莓果冻和香草奶油浇头的厨师都要花上三天时间进行准备。从外面引入厨师来协助准备工作并不总是一个让人开心的安排，但考虑到要做的工作太多，在加冕典礼前一周不得不外聘了少量厨师帮忙。我们必须在筹备加冕宴会菜品的同时还要打理王宫的一日三餐，而我们只有晚上才有空闲时间做这项工作，所以我们大多数人都同意在一两个星期内加班。

这一周过得并不好。每个人都知道爱德华国王身体欠佳，每天的午餐和晚餐要专门为他准备清淡的菜肴，这就意味着额外的工作量。六月的天气相当炎热，年轻一些的厨师总感到焦躁不安，迫不及待地想逃离闷热的厨房，去享受凉爽的晚风。梅纳格先生意识到了这一点，而且因为他知道为一个如此盛大的宴会进行的所有早期准备工作是多么令人厌烦，所以他并不希望每个人都工作得太辛苦而且因为勉强自己而变得烦躁。安排如此大规模的皇家宴会肯定会有一些小纰漏，其中最恼人的问题是一些厨师的工作被耽误。宴会上来自俄罗斯的鱼子酱订单到了，却莫名其妙地忽略了复核步骤。当需要用到它们时，才发现由于计算错误，只到货了所需数量的一半。

梅纳格先生非常生气，厨房的职员否认是他的错误。最终，事情得到了解决，缺少的鱼子酱补了货。但这个小插曲并没有让工作人员的事情变得轻松。

最后，几乎一切都准备好了。果冻是搭配冷鹌鹑和其他菜肴的，有些用红葡萄酒和白兰地调味，有些用作加入利口酒的甜品。果冻几乎占用了厨房里所有可以留待加冕宴会使用的盘子，我们期待着厨房的日常生活能再次恢复正常。我一直在为宴会的第一道菜雉鸡丸子汤做准备。

清汤已就绪，只待红色、白色和绿色的丸子或肉圆点缀，以使其具有合适的大餐风格。几乎一半厨房都被加冕菜占用。

加冕礼的前一天晚上，我们又要为第二天所需的酱汁和肉丸忙到很晚。当我们正要开始的时候，传来消息说国王的医生弗雷德里克·特雷弗斯爵士被匆匆召到白金汉宫，在与国王相处了几个小时后，他与内务大臣法夸尔勋爵进行了磋商。他又急忙去见书记官，有传言说国王病得很重，可能最终无法去威斯敏斯特教堂参加加冕典礼。梅纳格先生脸色变得苍白，因为他是皇宫的老仆，对国王忠心耿耿，但由于没有听到任何正式消息，我们决定继续工作。大约一刻钟后，书记官叫来了皇家厨师。当他回来时，我们得知爱德华国王那天病得很重，需要尽快进行手术。因此，加冕仪式和宴会将被推迟到他的健康状况恢复后再进行。

工作人员默默地听着这个消息。我们花了一点时间来适应已不再年轻的国王健康状况如此糟糕的事实。但是，当我们终于接受了计划有变，就要面对一个问题。该如何处理为二百五十位宾客准备的宴会菜肴呢？

其中一些可以放到冰盒里，但很多是易腐食品，无法保存。储存所有的果冻也是一个难题，它们不能再堆在盘子里，满得快要溢出。今天的白金汉宫不会有这样的问题，因为它们可以无限期地存放在带螺旋盖的罐子中。但在爱德华七世国王统治时期，还没有这种现代的储存器具，而我们以前从未遇到过需要如此大规模进行储存的情况。最后，膳食官想出了一个解决方案，对所有人来说都算挽回了局面。果冻可以熔化掉并储存在大香槟酒瓶中，一直放到加冕宴会举行。当需要果冻时，可以将它们放在火前重新熔化，然后再放回模具中。我们接下来花了几个小时行动，最后的成果是厨房一个角落的墙壁上排列着两百五十个香槟瓶的红酒和利口酒果冻。

这并没有解决全部问题。鱼子酱可以冰起来，两千五百只鹌鹑也可以保存。但是还有大量的熟鸡肉、鹧鸪、鲟鱼和炸肉排，更不用说所有无法保存的水果和奶油甜点。可以留一点给工作人员，但其余的，大家最后决定，交给救助穷人的慈善机构。

我们与许多这样的慈善机构保持着联系，他们的账簿上有数以千计的忍饥挨饿和无家可归的家庭，白金汉宫的工作人员经常将破损或变质的食物转送给他们。这一次，他们会得到一些不同的东西——国王加冕宴会上的六七道菜，而从所有众多的慈善机构中，很难选出一家并指望他们能公平和谨慎地处理这些食物。最后，我们将食物储存在济困修女会的大篮子里，没有向他们解释下一步应该怎么做，交由他们分发给白教堂和东区周边的贫困家庭。一想到我们永远不知道辛辛苦苦烹制了两个多星期的菜肴结局如何，就不免难过，在国王生病给王室造成的混乱中，很少有人想起加冕宴会和为其准备的那些食物。但在六月二十六日，也就是原定举行宴会的日期，白教堂的穷人，而不是外国国王、王子和外交官享用了雉鸡丸子汤、苏瓦洛夫式鹬肉饼和许多皇家厨师和工作人员为国王的加冕典礼制作的其他菜肴。

伦敦小吃

选自《生活在伦敦》

乔治 · 西姆斯

1847 — 1922

乔治·西姆斯著名的身份是记者和讽刺作家，他同时为舞台剧和平面媒体撰稿。虽然身为衣食无忧的中产阶级，但他有着强烈的社会良知，使得他成了社会改革的倡导者。他的大部分文学作品都围绕此主题，帮助公众提高了对城市贫民困境的认识。1880 年，他与人共同创办了一个慈善机构，致力于为儿童提供免费膳食。

《生活在伦敦》是西姆斯的几本探索伦敦街头的著作之一。在这段节选中，西姆斯对伦敦各地无处不在的街头小贩进行了探讨，因为即使是中产阶级也喜欢吃热香肠卷或冰激凌。然而，大多数小贩都在东区营业，而且这些小吃通常是居民能获得的唯一热食。鳗鱼特别受欢迎，在街上，鳗鱼馅饼和薯泥店也随处可见，尽管现在已经踪迹难寻。

傍晚时分，炸鱼薯条店、火腿和牛肉店，以及以热香肠、炸洋葱和土豆泥为特色的小菜馆，都生意火爆。在这些馆子的橱窗前，总会有一小群人，他们不一定肚子饿，但却饶有兴致。其中可能还会看到衣着光鲜、养尊处优的人。这是因为看着美味的香肠在锅里嗞嗞作响，气味冲鼻的洋葱在煤气灶上的平底锅里渗出葱油，对我们大多数人来说都是一种享受。在这些饭馆的橱窗里，常常能看到猪排和西红柿在锅里的身影。但我对将猪排列入小吃目录有些犹豫。

鳗鱼馅饼店没有那么吸引人，但同样也有很多人光顾。鳗鱼馅饼店的橱窗装饰通常很保守。这是一个世代相传至今的传统。长短不一的鳗鱼像艺术品一样陈列在铺满欧芹的盘子上。在鳗鱼的两边，平底锅里的冷馅饼摆放得井然有序，看起来十分诱人。鳗鱼馅饼店的菜单丰富多样。你可以在同一家店买到蔓越莓挞，有些是苹果挞，还有肉馅饼和肉布丁，以及圣诞季节的白果馅饼。

要看到鳗鱼馅饼生意的妙处，欣赏它的诗意，你必须观察他们为顾客服务的过程。在一个繁忙的夜晚，柜台后面站着穿着衬衫的老板，一条干净的白色围裙保护着他的马甲和裤子不被弄脏。看着他非常灵巧地掀开身前金属容器的盖子，抽出一个热腾腾的馅饼，用刀在盘子里的馅饼下转上一圈，然后把它翻到一张纸上，交给顾客——那只手已经迫不及待地伸出多时了。

他通常有妻子和女儿帮忙，她们也很灵巧，但比不上他。她们面前也有金属托盘，馅饼接连不断飞速地甩出来，让你目不暇接、眼花缭乱。如果你看得够久，几乎会觉得像一场热气腾腾的馅饼雨从天而降。

牡蛎店已经不像当地人六便士可以买到一打的时代那样普遍了。但仍有许多店家散落在伦敦各处。大型牡蛎餐厅坐落在西边。在餐厅里你可以吃到各种品类的鱼，还有特色菜龙虾沙拉和浇汁螃蟹。摄政街附近有一家著名的餐厅，那里的牡蛎和鱼肉三明治连身居高位的人都无法抗拒。每天下午人们可能会在这里见到一位元帅和一位部长、一位大使和一位公爵，并排坐在一起享用他们的半打牡蛎。不过普通的牡蛎店以英国－荷兰等品种为特色，定价也适中。普通伦敦牡蛎店的橱窗布置是水族馆式的。许多店家都展示一个大号的海螺标本，就是我们小时候把它放在耳边“听海洋的咆哮”的那种。有些店主用亮绿色的球形灯罩罩住橱窗灯，有些店更喜欢粉红色调的装扮。他们有时将海藻装饰在炉石色背景上，代表海底的景致。

除了在伦敦东部和南部以及某些周六晚间的大排档外，路边摊贩所能经营的小吃生意已经不像从前那么多了。牡蛎小吃摊很少而且相隔甚远，而海螺摊最近在西部已经呈现出凋敝势头。在某些角落里还能看到提着篮子的老妇人，在干净的白布上摆着蹄髈，不过她所属的街头小吃业已在迅速消失。卖蹄髈的女人独特的叫卖声越来越少，就像松饼汉子的铃铛声一样难得听到。消失的还有那些头顶着篮子的小贩，他们经常用叫卖声唤醒静谧的街道，特别是那些星期天下午。

白天生意兴隆的饭馆在这里没有用武之地，因为它们是为大多数顾客提供正餐的。很多放弃肉食的淑女和绅士时常光顾的素食餐厅亦是如此。但那些一半卖火腿和牛肉，一半卖罐头食品的异国店家，整天都在经营着大规模的小吃生意。在售卖熟食的柜台前，你可以购买和享用你的三明治。三明治的食材都不是英国的——沙丁鱼，德国、法国和意大利香肠，熏制的三文鱼，甚至偶尔还有鱼子酱。这些场所通常在楼上设有茶点室，你可以在那里享用咖啡、巧克力和蛋糕，或甜味和咸味小吃。在这里，你甚至可以买到《祖国》中的儿子们所喜爱的鲱鱼沙拉，可以在等位时吃，或装在纸袋里带回家。

所有这些品种的小吃都可以在西区找到。让我们向东走，研究一下那边琳琅满目的菜单，比如说，迈尔安德路的。

这里似乎是一个以茶点店为主的街区。不仅街边的摊位为路人提供各式各样的美食，而且在主干道和小街上，你还可以找到一个又一个的店铺，以满足“垫垫肚子”的需要。这是一家糕点店，边上的房间里挤满了年轻人，其中大部分是希伯来人，他们正在喝咖啡吃蛋糕。还有一家小饭馆里，身穿白褂的伙计不断用刀进击着“斑点狗”和葡萄干卷，并灵巧地把切下的一片糕点翻到一张纸上，交到顾客伸出的手里。这些馆子里最受欢迎的一道“菜”是一种煎饼布丁。你把你一便士一份的煎饼放在纸上，伙计会在上面倒一勺肉汁，里面有一块猪里脊肉。为什么肉汁不会滴到地上，我说不上来，我只知道它没有。当煎饼布丁的顾客拿着他的点心走到街上开始吃时，肉汁依然安稳。

东部的炸鱼店和西部的炸鱼店很像，只是在薯条上略有不同。区别在于调料瓶，可能是东区人希望对得起自己花的钱。我所知道的是，西区人只需随意撒上价值一便士的调料就可以了，而东区人要把瓶子足足摇晃两分钟，以保证物有所值。放到炸鱼、薯条或煎饼布丁上的盐，要你自己用手指从柜台上的大盐盒里撮出来，然后捏在手里走到街上再给你的小吃调味。

在白教堂和斯皮塔菲尔兹周边的幽暗小巷里，你会发现一些奇特的小店，它们主要贩售盐水腌渍的橄榄和小黄瓜。后者被装在大浴盆里，经常有人当场现买现吃，毫无仪式感。俄罗斯人和罗马尼亚的犹太人能在门面装饰着希伯来语文字的小店里买到特色小点心。甚至还有些点心摊和小咖啡店的菜单完全是意第绪语。

由于希伯来人口较多，许多牛肉和火腿店都只卖牛肉，或者用巨大的德国香肠代替外邦人熟悉的火腿。

这里的馅饼店给你提供的选择比西区更多。你可以在这里买到热的牛排馅饼和布丁、鳗鱼、腰子、肉、水果和白果馅饼。在迈尔安德路，有家店的烤羊心方圆几英里内无人不晓，还有家店的牛肚和洋葱声名远播到了有轨电车系统的范围之外。

这一地区的大排档餐饮种类繁多而独特。在这里，鳗鱼冻生意非常火爆。巨大的白色盆子里的东西，乱糟糟却令人垂涎。在摊位后面，父亲和母亲，有时会有儿女帮忙，在清洗杯子和勺子，然后将当地珍馐舀给络绎不绝的顾客。有很多次，在非常寒冷的夜晚，我看到一个瑟瑟发抖、面容憔悴的人急切地吃着他的那杯鳗鱼冻，直到连狗的舌头都无法从中榨取一滴汁时才把勺子和碗放下。

贝类的摊位比西区的更大也更宽敞。在燃烧的石脑油灯下，摆放着数十个小碟子，里面装着海螺、乌蛤和贻贝，“一便士一盘”。这些摊位上的牡蛎以六便士一打的价格出售。即使如此便宜，买的人也不算很多。

一些户外摊位供应装在杯子里的热青豆。这种小吃的特点是，顾客可以随意不限量取用醋和胡椒，而且完全免费。在东区，你还可以在等位时买些新鲜烤制的花生。现在，热腾腾的苹果馅饼也成了街边小摊的新贵。

热的水果饮料是东区最受欢迎的小食，那里大量希伯来移民不喜欢大酒店和小酒馆的烈性饮料。随处可见小店窗户被拆除，柜台朝街道开放。这些店家还经营其他业务，也许是雪茄、糖果、报纸或日用品，但他们的生计主要依赖无酒精热饮。

许多摊主还要做这件事：在严寒的冬夜里，店主费尽周折把那些口袋里没钱却在他保持水壶沸腾的焦炭炉子边免费取暖的男孩赶开。

在冬季的几个月里，烤土豆罐在东区和西区都很常见。“可口的面土豆”是穷人最喜欢的小吃。对很多穷人来说，这就是晚餐了。而西区的年轻人则只是随手买一个烤土豆并当场就吃掉。但一般来说，他们会拒绝小贩好意提供的一抹美其名曰“黄油”的黄色的油脂。

在东区，烤栗子摊的位置是固定的。许多烤栗子摊贩对英国变幻莫测的气候有着痛彻的认识，他们在周六下午出摊，为异常气象做好两手准备。他们把推车上的设备分成两个不同的部分，同时提供烤栗子和冰块。

卖冰激凌的商贩叫卖声已经不像从前那么令人熟悉了。“好奇不奇”（Hokey-Pokey）是意大利语“ecco uno poco”（这里有一点儿）的英语发音。伦敦小男孩发现，白纸筒上放的冰糕太少了。他更喜欢把他的“冰激凌球”放在杯子里，这样他就可以拿在手里，没事儿就舔一舔，同时姿态轻松地倚靠在意大利小贩那辆彩绘冰激凌车上。

在炎热的天气里，两个在城中小有名气的卖软饮料的小贩在晚餐时做了一笔大生意。他们一个卖大玻璃瓶装着的“黄色柠檬水”，拿真柠檬当瓶塞，还有一个是卖雪糕的。近年来，一种专供小男孩的全新形式的饮品开始流行起来，就是把菠萝罐头里的水果取出后留下的汁液。“半便士一小杯”是最常见的价格。卖沙士汽水的人有时会为此配备一辆欢快而迷人的小车，上面贴着华丽的金色标签，无论停在哪里，都会引来一群人的仰慕。售卖“草本啤酒”的也用类似的方式招徕顾客。

如果不提及大大小小的火车站自助餐吧，关于伦敦小食的文章就不完整。许多年来，英国人在旅途中最常吃的食物是猪肉馅饼和班伯里蛋糕。近年来，铁路上的自助餐吧有了很大的改进。管理者们被某种人文精神所激励而良心发现，他们不再把乘客当作能吞下各种异物的卖艺者。在伦敦的铁路总站以及大都会和北伦敦系统的许多支线上，你如今可以吃到轻食和茶点，这些茶点让你可以在两餐之间补充能量，而不会使你在两周的旅行中吃糠咽菜。在大多数餐吧都可以随时喝到茶和咖啡，尽管他们仍然用白煮蛋和冷香肠打发大大咧咧的人，而且火腿是一些餐饮业者所知道的唯一的三明治形式，不过许多小零食已经上架，而且还有进一步改善的迹象。

橙子

选自《绅士礼仪》

G.R.M. 德弗罗

19 世纪的最后二十五年，就餐礼仪发生了很大的变化，富人用餐的上菜风格从“法兰西式”，即数道菜中的每一道都同时摆上桌，变成了“俄罗斯式”，即更直接地依次上菜，一般有九道菜或更多。此外，第二次工业革命为厨房和餐桌带来了新技术。

G. R. M. 德弗罗显然是“贵族中的一员”，他/她在《绅士礼仪》（1902）和配套的《淑女礼仪》中针对不同性别提出了建议。他/她还撰写了《婚姻指南》《情人词典》和《书信指南》等。下面这一段与该书其他部分的庄重语气格格不入，而且令人遗憾的是，在后来的版本中被删去了。

最棘手的问题之一

对于哪道菜对新手来说是最可怕的也最容易出岔子的，这是一个疑问，但我认为甜品通常会被选为最棘手的，或者至少是最棘手的食物之一。优雅地吃水果是非常困难的。

为了尽可能地帮助新手，这里有一些吃各种水果的规则。

橙子

首先，我建议您避免食用橙子，除非您是位行家。吃橙子需要长期的经验、巨大的勇气、相当程度的冷静镇定，以及在不伤害自己或邻座的情况下进行宰割和处置的高超技能。

无论怎样小心翼翼，都无法防止果汁溅到您自己的衬衫前襟或您邻座的长袍上，不管她坐在你对面还是在你身边。事实上，在特定范围内，没有一件长袍和一尘不染的衬衫前襟是安全的，而人的眼睛似乎有某种不可思议的磁性，它能把这种刺激性水果的汁液吸引到自己身上。橘子更容易对付。但是，如果即使如此您仍觉得橙子很诱人，或者被一种叛逆精神催促着去碰个运气，以下是最安全和最正确的宰割方式。这回就只是你和水果两个之间的事了。

把橙子切成两块，再切成四块，然后把果肉从皮上切下来，用叉子把它送到嘴里。简单至极！

暖锅崇拜

节选

弗兰克·施乐赛尔

1862—1913

弗兰克·施乐赛尔是一位名不见经传的记者，在文学方面没有什么建树。他写了两本书:《暖锅崇拜》——本文就是节选自此书;《贪婪之书》——编辑得很蹩脚，而且相当粗糙。施乐赛尔有一半德国血统，是一位音乐教授的儿子，还做过翻译工作。他是《乡村生活》等出版物的定期撰稿人，并被描述为“一位实用的专家，他更喜欢简单和朴素的烹饪，而不是现代烹饪的浮夸”。

这段节选来自完全调侃式的引言部分，此书的行文和食谱都受到广泛赞誉。暖锅是一种简单的装置，在桌面上使用，包括一个酒精燃烧器、一个支架和一个用于烹饪的炊具。此外还有各种附件可供选择，包括烤面包机和煮蛋器，都是施乐赛尔热情推荐的。它们有一种单身汉烹饪的味道。作者在该书出版五年后，即四十七岁时结婚。

“在这幸福时刻，
天底下没有一个人
对吃喝的喜爱，
会低于其他身心享乐。”
——埃特里克牧羊人[①]

每个单身汉都有一个某种形式的妻子。我的是一个暖锅，我想为她唱赞歌。

我的另一半——我喜欢叫她暖锅娘子——是一个镀镍的盘子，放在锻铁的支架上，备有一盏简单的酒精灯，用于给她取暖。我在哈罗德商店花 12 先令 9 便士将她买来，那里还有她的诸多姐妹。

我已然意识到，许多相当不错的人可能会很高兴了解暖锅娘子的不凡之处。无论已婚还是单身，几乎每个男人和女人的生命中都有这样的时刻，一顿快速出锅、热腾腾的简朴一餐，愿意用金子来换。对此，我想礼貌地谈谈我

① 即苏格兰诗人詹姆斯 · 霍格。

的看法。

普通的家庭锅具是暖锅永难和解的敌人。她称之为“无事忙”。差不多吧。但是，既然它干净、省钱、快捷、简单，自然不符合她对烹饪艺术的特殊认知。

对于单身的人，无论男女，居家的、住店的、挖矿的，以及干别的活的所有芸芸众生，对于那些喜欢剧院、音乐会和在家很晚才吃饭的年轻夫妇，对于游艇爱好者、射击派对上的人和野餐者，对于那些渴望在新菜品的演变中成名的创造性艺术家，对于残疾人、夜班工人、演员和股票经纪人，暖锅都是受欢迎的朋友和伴侣。

当然，它有其局限性，但这种局限性很小且无关紧要，其明显的优点和便利性远远超过了其微不足道的缺点。同时必须记住，它是一种严肃的烹饪装置，而绝不仅仅是一个玩具。

当三两好友相聚，其中一个人提到“暖锅”这个神奇的词时，另一个人总是跟着说“威尔士兔”。这是一个品味上的错误，但是有情可原。暖锅并不是为了威尔士兔的独家圣典而创建的，尽管心灵手巧的人偶尔可能会在轻松的心情下玩玩暖锅。它还有其他更妙的用途。尽管如此，芬芳而精致的兔子不可小觑，但也不可因厨艺已经高超到突破天际而太过自负。

我想每个国家都有与之相称的厨师，如果能接受这个公理，中产阶级平凡厨师的普遍退化大大助长了对暖锅日益增长的崇拜。平庸的英国烹饪学校就是单调的典范。厨师们贪多嚼不烂，因此，我们得到了结论，烘烤和烹煮在枯燥和无聊方面别无二致。

想象力和适当的比例感在烹饪中与在其他艺术一样是必要的，在某些情况下更加必要，因为印象派在厨房里意味着消化不良。消化是人体内部的勾当，而消化不良是医生要操心的事。烹制难以消化的东西极为容易，以至于充满心机地用铋和胃蛋白酶调制的美味似乎几乎是初露头角的暖锅主义者菜单（或法国大革命者所说的“晚宴餐单”）上的必选菜品。

但是，只需稍稍动动心思，消化不良的恶魔就很容易被驱除。三个伟大的箴言时刻要牢记。首先，永远不要为你的食物担心，好滋味藏不住；其次，辛辣调味料能少用就少用；最后，保持自然的味道和汁液。

就说当下的很多堕落行为吧，我都将其归咎于对蛋黄酱（或者按不同的烹饪权威的叫法被称作美乃滋、贝乃滋或是手作调味酱）的邪恶崇拜。在最好的情况下，它也不过是用酱料对无辜的鲑鱼或张牙舞爪的龙虾画蛇添足，让那些口味清淡的人联想到一个老黄瓜刷绿漆的年迈演员。我曾经认识一个男人，他在舞会上向一个女孩求婚，只是因为他想不出别的话可说，然后突然发现他们都讨厌蛋黄酱。我没有理由认为他们过得不幸福。

关于一个暖锅形态的妻子的另一点，解释起来颇有些微妙。粗略地说，相当于如此：与这样一个遍体生香、得心应手、足智多谋的贤内助持续亲密接触，往往在日常琐碎中会与其相敬如宾，而普通厨房灶具的持续陪伴却无法催生这种优雅的敬重。暖锅料理与中产阶级厨房料理的关系就像令人愉悦的击剑艺术与大砍刀的关系一样。两者都有其用途，但相互之间存在细微差别。家用锅日常遭受的粗暴而颠来倒去的待遇与迷你小锅接受的灵巧操作形成鲜明对比。

无肉之肴

选自《厨房随笔》

艾格尼丝·杰奎尔

1861—1937

素食主义在 20 世纪初还处于起步阶段。在历史上的大部分时间里，大多数人都吃不起肉，所以自愿放弃食肉被视为怪人或虔诚的宗教人士的选择。严格的天主教徒仍然坚持无肉斋日（食鱼日），这在宗教改革之前一直是英国的规范。这种情况在维多利亚时代后期开始改变，因为它与健康和女权主义有关。

本节选使用了法语术语 maigre 表示宗教斋戒日，它曾在《泰晤士报》的一篇文章中出现，暗示了该运动的发展很普遍。艾格尼丝·杰奎尔女爵士是一位热衷社交的贵妇，她因在第一次世界大战中协调医院物资的贡献而获得赞誉。她后来将精力投入帮助陷入法律纠纷的妇女和儿童身上。在她去世时，《泰晤士报》发文称，如果她是一个男人，她会成为“一位伟大的公务员”。

初夏时分，一个阳光明媚的星期五，一场素餐午宴，虽已久远，留在席间四人脑海中的印象却始终鲜活。一部分原因是场景的美好，还有休憩时分心有灵犀的交谈。但也是因为发现简单温馨比将待客的好意复杂化的刻意与侈靡更迷人。这是一所教育机构的花园房间，坐落在都柏林附近郁郁葱葱的秀丽山丘之间，这些小山丘朝大海延伸。一位睿智而和善的耶稣会教徒父亲，一位面容圣洁的修女，还有两位虔诚信徒，这就是聚会的情形。

从没有人把新鲜鸡蛋和嫩芦笋一起炒得如此美味，粉红色的鳟鱼佐以小土豆和脆生菜也从未尝起来如此鲜美。桌上摆着全麦面包和奶香烤饼，还有自制的奶油奶酪；蜂巢的初产蜂蜜散发着盛开的酸橙树的芬芳；奶牛农场新鲜出品的黄油色泽金黄；树林里盛开的草莓，是夏天的使者，在铺满树叶的篮子里果香四溢。

最后，新鲜烘焙和研磨的咖啡装在棕色的咖啡壶里，热气氤氲，满屋飘香，以告别式的祝福结束完美的一餐。相比之下屠夫的肉块、被宰杀的野味和凡俗家禽显得多么粗鄙，然后没多久势力强大的习俗又重新消磨我们的敏锐！既然许多人按某些宗教的规矩习惯于有些日子里不吃肉，更多的人常年不吃肉，那么让大家更普遍地接受素餐的建议可能不会不可理喻。玛丽·柯勒律治在一本轻松有趣的餐桌谈话录中提醒过我们："自我牺牲是世界上最崇高的事情，但牺牲其他人，即使是为了崇高的事情，也和迫害一样是错的。"

在漫长的冬日里，当时间紧迫，力不从心，无法花太多心思准备餐食，这儿有一个适合忙碌工人的早餐或茶点创意。一个加了大量黄油和盐的松饼，打上一个或两个鸡蛋，完全煎熟，撒上现磨胡椒，放在预热过的松饼盘里趁热上桌。这道食谱成本适中，制作简单，营养丰富，滋味极佳。

还有两道公认的好汤，一道是为沿海居民或附近有不错的鱼市且手头宽裕的人准备的，另一道适用于生活在任何地方的任何人。一道内敛的、英式的四人份马赛鱼汤——

用家常方法制作大约 1 夸脱的鱼汤，随后加入鱼和龙虾的下脚料、骨头和壳。将两个大洋葱切碎，在半及耳卢卡橄榄油中煎炸，加入一茶匙面粉、一大杯白葡萄酒、胡椒粉、盐、一撮欧芹、一片月桂叶和三汤匙番茄酱。煮15至20分钟后过筛，然后倒入平底锅。将一只小龙虾切成小块，再加入鲂鱼、鳊鱼或比目鱼，其鱼杂已用于熬制鱼汤。用准备好的鱼汤在快火上熬半小时，将一片面包，或更好是从法式面包卷切下的几小片放入预热过的盖碗中，用滤网将鱼放置到面包上，再倒入汤汁一起食用。如果时间紧张，比如晚上有活动，这个有汤有菜的组合将极为方便。

家常例汤，四人份

在炖锅中熔化1.5盎司黄油，加入两汤匙米粉并搅拌均匀。加1夸脱牛奶（如果有，加入一些小牛肉清汤与牛奶混合），煮10分钟。然后加入两汤匙现磨的帕玛森奶酪或其他奶酪，以及一些事先洗净并在牛奶中煮好的通心粉，切成1/4英寸的小段；或者放在苏荷区能买到的小贝壳形状的新鲜意大利面疙瘩。在上菜前，将煮沸的汤倒在与少量奶油混合的蛋黄上，搅拌均匀，然后倒入热的麦饭石锅中。

鸡蛋、鱼、蔬菜和水果的巧妙组合为烹饪高手提供了丰富的空间。试试这一道快手午餐菜式：

煎蛋，起司汁

将你最好的鸡蛋煮到蛋黄柔软蛋白凝固的程度，剥皮，去掉内膜，然后放在炸面包圈内，将煮好的米饭垒在周围；将 1 品托稀薄的梅夏贝尔调味酱与 1/4 磅车达奶酪碎混合加热到冒泡，然后将其舀到鸡蛋和米饭上。

如果您的厨师喜欢酥皮点心，那么法式酥盒可以在各种高贵的传统艺能中卓然出群，再用上好的酱汁锦上添花。将海甘蓝在牛奶中煮软并切成小段，加上梅夏贝尔调味酱，用少许咖喱腌制并与花椰菜混合的各种扁豆，龙虾或虾酱腌的鱼肉，以及最重要，加了奶油的牡蛎，如果处理得当，将是非常适合的馅料。

茅屋布丁

这道乡下人最爱的菜肴对于封斋期来说实在过于丰盛，但它可以为自我挑战提供机会，并且可以在任何季节都派上用场。如果第一次尝试有点不尽人意，那么值得不断练习，直至完美。熔化 2 盎司黄油，加入四汤匙面粉。倒入足量煮沸的牛奶搅拌至速成布丁的稠度；加入四个鸡蛋的蛋黄和一个柠檬的磨碎外皮，加少许果汁和糖调味。用力搅打蛋白，然后加入食材中。把所有食材放在一个可放入烤箱的容器里（一个 10.5 英寸 ×6.5 英寸 ×2 英寸的耐热玻璃容器，可容纳六到七人量）。烤 15 到 20 分钟。上桌前，将一杯稀薄的热杏酱倒在膨起的布丁上面，再撒上 1 盎司烤成棕色的杏仁碎。

无肉食谱有诸多美味选择，我们的思想不需要总是停留在我们缺少的东西，而是努力在我们拥有的一切中得到满足。

炖鬣蜥肉

选自《万国食谱》

摩菲女伯爵

1883—1938

马塞尔·阿兹拉·辛克斯并不是位女伯爵，名字也不是摩菲，但她正是用这个笔名撰写了一系列关于舞蹈的书籍，后来开始写烹饪。她的文字充满热忱，才华横溢，她还在塞尔福里奇百货公司开设了烹饪课程。

作为20世纪30年代最精彩的书籍之一，她的《万国食谱》体现出在两次大战之间，人们对各国美食的兴趣日益浓厚。法国美食仍然是人们最向往的，但美国风味在英国也取得了一席之地（主要是糟糕的沙拉）。这本书的探讨更进一步，包含了关于大多数欧洲国家的篇章，还介绍了中国、日本、印度、美国、辛克斯的故乡新奥尔良和“许多地方”。对于没有亲身经验的部分，她会向其他人请教，主要是伦敦的餐馆老板。不过，这道食谱是由一位莫里茨先生提供的，他是一位“冷静客观的美食家”。

炖鬣蜥肉是另一道几内亚最受欢迎的菜肴。鬣蜥[①]是一种可食用的大型蜥蜴，有多种烹调方法：烘烤、烧烤或放入炉焖。一年中的某些时候，当雌性蜥蜴肚子里装满了蛋，正是赏味好时节，因为它的蛋是难得的美味珍馐。炖肉时只用蜥蜴背部的肉，味道极美。先将蜥蜴肉块在砂锅中用热黄油烹煮，开始变色时，在上面撒上一点面粉。当整体变色后，加入一点水，以及欧芹、月桂叶和百里香，再加上几个小洋葱。这道菜要炖上大约 45 分钟，在出锅前几分钟再将蛋放入。

---

① 因环境问题，鬣蜥目前已成为濒危物种。

伍尔顿勋爵派

《泰晤士报》，1941 年 4 月 26 日

弗朗西斯 · 拉德里

1889 — 1966

伍尔顿勋爵派是二战时期的标志性食谱之一。它是由萨沃伊酒店的厨师弗朗西斯·拉德里发明的，作为一系列公共运动的一部分，目的是在严格的食品配给制度下保持士气。伍尔顿勋爵（弗雷德里克侯爵，伍尔顿的第一任伯爵）是膳食部的负责人，因其成功的商人和社会经济学家的背景而被指派领导该部门。他在政治上保持中立，是战时政府的重要成员，英国公众能够长期接受配给制很大程度上要归功于他的努力。

配给制于1940年1月8日开始实施，直到1954年7月4日才最终取消。通过保证（有限的）肉类供应，以及富含水果和蔬菜但低脂低糖的饮食方案，国民的健康得以改善。然而，那些食物单调得无法言喻，这道菜谱也不例外。

正宗伍尔顿勋爵派食谱

不仅仅在公共食堂，很多人在酒店和餐馆也尝过沃尔顿勋爵派，并表示它很好吃。像许多其他简朴菜肴一样，它可以被称为有益健康的食物。它也符合营养学家对某些维生素的要求。配料可根据时令蔬菜而有所不同。以下是官方食谱：

取 1 磅土豆、花椰菜、芜菁甘蓝和胡萝卜丁，三四个洋葱——如果可能的话，一茶匙蔬菜汁，以及一汤匙燕麦片。加水刚好没过食材，煮 10 分钟。不时搅拌，以防食材粘连。冷却后，放入馅饼盘，撒上欧芹碎，然后盖上一层土豆或小麦粉面糊。放入烤箱以中温进行烘烤，直到外皮呈漂亮的棕色，然后与棕色肉汁一起趁热食用。

为英国烹饪辩护

乔治·奥威尔

1903—1950

乔治·奥威尔本名埃里克·布莱尔，是 20 世纪最著名的英国作家之一，他广为人知的作品是战后的讽刺小说《动物农场》和《1984》。他的其他著作经常记述他自己的经历，包括一段艰苦的生活，同时他还是一位雄辩的评论家。这篇文章发表在 1945 年 12 月的《标准晚报》上，随后，英国文化理事会委托他撰写一篇更长的文章，以吸引游客。这篇文章没能发表，理事会认为，在战后欧洲大部分地区食物匮乏的背景下，颂扬食物的乐趣有些不合时宜。

奥威尔的英国美食清单可追溯到1930年代。他所向往的许多食物在配给制时代已经不复存在，而且事实上，许多食物从未真正回归。特别是小型奶酪行业，几乎被战时规章所消灭。

近年来，我们听到很多关于如何吸引外国游客的讨论。众所周知，从外国游客的角度来看，英国最大的两个缺点是星期日的阴郁天气和难以买到饮品。

这两种情况都是走极端的少数人造成的，他们需要被好好惩治一下了，包括以广泛的立法手段。但有一点公众舆论可以快速向好——我指的是烹饪。

即使是英国人自己也常说，英国烹饪是全世界最糟糕的，说它不仅毫无创见，而且只会模仿别国。我最近甚至在一位法国作家的书中读到这样一句话："当然了，最好的英国烹饪不过只是法国烹饪。"

但事实并非如此。任何长期在国外生活的人都会知道，在讲英语的国家之外，有很多美食是不可能搞到的。毫无疑问，这个清单可以补充，但以下是我自己在国外寻觅过但未能找到的一些东西。

首先是腌鱼、约克郡布丁、德文郡奶油、小松糕和小圆饼，然后是布丁的清单，如果我把它们全部列出，将会无休无止。我将特别提到圣诞布丁、糖衣馅饼和苹果布丁。然后是几乎同样无尽的蛋糕清单，例如，黑李子蛋糕

（比如战前在巴扎德餐厅里吃到的那种）、黄油饼干和藏红花小面包。还有林林总总的饼干，当然其他地方也有饼干，但人们普遍认为英国的饼干更好、更脆。

然后是我国特有的各种烹制土豆的方法。你还能在哪里看到在大块牛肉之下烘烤的马铃薯（这无疑是烹调马铃薯的最佳方法）以及你在英格兰北部吃到的美味土豆饼？以英国的方式烹调新土豆——与薄荷一起煮，然后加一点熔化的黄油或人造黄油——要比像大多数国家那样只把土豆油炸好吃得多。

然后是英国特有的各种酱汁。例如，面包沙司、山葵酱、薄荷酱和苹果酱；更不用说红醋栗果冻了，它是羊肉和野兔肉的绝佳搭配。还有各式甜腌菜，比大多数国家种类丰富得多。

还有什么呢？在我们的岛屿之外，我从未见过不是罐装的羊杂，也没见过都柏林大虾、牛津果酱，也没有其他几种果酱（例如骨髓酱和黑莓果冻），也没有我们那样的香肠。

再就是英式奶酪。它们种类并不多，但我认为斯蒂尔顿是世上同类奶酪中最好的，温斯利代尔也不遑多让。英国苹果也是极好的，特别是考克斯的橙皮苹果。

最后，我想说一下英式面包。所有的面包都很美味，从葛缕籽调味的超大犹太面包到黑糖浆颜色的俄罗斯黑麦面包。不过，如果有什么东西比英国农家面包的软皮部分更好吃的话（我们要何时才能再次见到农家面包呢），我可从未听说过。

毫无疑问，我上面提到的美食，其中有些欧洲大陆也有，就像在伦敦也可以找到伏特加或燕窝羹一样。不过它们的故乡都在我们的海岸，在很多地方，它们简直是闻所未闻。

比如说，在布鲁塞尔南部，我不认为你能成功地弄到羊脂布丁。在法语中，甚至没有一个词能准确翻译“羊脂”。同样，法国人从不在烹饪中使用薄荷，并且不使用黑醋栗，除非作为饮料的基底。

可以看出，我们没有理由为我们的烹饪感到羞耻，不管就创意而言还是就食物本身而言。但必须承认，从外国游客的角度看来，尝到这些美食障碍重重。也就是说，在普通人家之外几乎找不到好的英式烹饪。比如说，如果你想要美味而厚重的约克郡布丁，你更有可能在一个贫寒的英国人家中吃到它，而不是在餐馆里，而游客多数时候都必须在餐馆用餐。

事实上，独具特色且风味极佳的英式餐厅凤毛麟角。酒吧按照规定通常不出售任何食物，除了薯片和乏味的三明治。昂贵的餐馆和酒店几乎都模仿法国烹饪并用法语写菜单，而如果您想要吃一顿便宜的饭菜，您自然会倾向于去希腊、意大利或中国餐馆。我们不太可能成功地吸引游客，而英格兰则被认为是一个有着糟糕的食物和难以理解的规章制度的国家。目前我们对此无能为力，但配给制迟早会结束，届时将是我们民族烹饪复兴的时刻。英格兰的所有餐厅要么是外国的，要么很难吃，这不是一条自然法则，而改变现状的第一步将是英国公众自己不那么妄自菲薄。

《标准晚报》，1945 年 12 月 15 日

远乡

节选

内尔 · 舒特

1899—1960

战后的英国是一个阴暗破败之地。食品配给情况每况愈下，第一次连面包都要配给。内尔·舒特·挪威（他写作用的笔名去掉了姓氏）移居到了澳大利亚。内尔·舒特原来是一位航空工程师，后来成了畅销作家，他最著名的作品是《海滩上》和《爱丽丝城》。他的小说融合了浪漫与冒险，描绘了富有同情心的男女角色，故事背景大多在战时或当代。舒特离开英国是因为他觉得英国已经失去了独立精神，是一个衰败的国家。

在《远乡》中，舒特将英国和澳大利亚加以对比，一个是机遇之地，另一个是老妇人可能饿死的地方。事实上，配给制从来并没有那么糟糕，但它的影响持久而深远。它持续时间很长，以至于整整一代人在贫乏的烹饪环境中长大，对战前的美食珍馐认识模糊。

过了三十年，英国美食才开始复兴；又过了一代人，英国美食才真正重获声誉。但那是另一个故事，另一顿正餐，而且可能是另外一天的事了。

杰克·多尔曼走到院子里，简开始摆餐桌准备午餐。她有些怏怏不乐，心中颇有不安。如今从英国传来的所有消息，无论来自她姨妈的信还是报纸，都令她惶然不已。那里的情况似乎很不寻常，而且不可理喻。

在她的一生当中，她也经历过不少艰苦时刻，她从来没有缺过肉吃，也没缺过她想要的任何食物或水果。她还记得小时候在萨顿·巴塞特，父亲放在桌子上的手的大关节。早餐吃的是腰豆和培根，旁边摆着冷火腿，桌上放着醇厚的奶油，还有随意拿取的黄油。这些事情对她来说就像太阳和风一样正常，即使在吉普斯兰早年婚姻生活中最焦虑的时期，他们也理所当然地拥有这些东西，从来没把它们放在心上。她现在不常吃这些了，那只是因为她年纪大了，而且饮食控制让自己感觉更好。但她几乎无法想象当有人想要这些食物却无法得到。

煤炭亦是如此，她一生中从未想过节约燃料的事情。她离开了萨顿·巴塞特熊熊燃烧的壁炉和厨房炉灶，来到了温煦的澳大利亚乡下，这里每个人都用木柴做饭取暖。即使在他们最艰苦的时候，作为燃料的木材总是取之不尽。的确，在烈日炎炎、雨水丰沛的梅里吉格，最大的麻烦是要防止森林蔓延到码头。如果你留下一个角落不铲平，那么三年后整个角落的灌木丛都会有五英尺高；十年后，它就会成为森林的一部分。即使在城里，订购一吨木头，就像买一磅黄油或一块牛腰肉一样平常。

埃塞尔姨妈连一件过冬的暖和背心都买不起，她过的是什么样的日子呢？为什么只买一件暖和的背心——为什么不是三件或四件呢？她在洗衣服时不得不倍加爱惜。衣服还是定量配给吗？她似乎还记得英格兰取消了服装配给。她停止摆餐桌，打开信，把这段话又读了一遍，有些困惑地皱起了眉头。没提到任何关于配给的内容，她没有买背心是因为价格太贵。她真傻，人上了年纪必须穿得暖和一些，尤其是在英国的冬天。诚然，即使在澳大利亚，羊毛服装的价格也在飞速上涨，可是埃塞尔姨妈总不至于贫穷至此。福克斯利家一直很有钱。也许她有点老糊涂了。

她走到屏风门外，按了按饭铃，心中郁郁。

图书在版编目（CIP）数据

布丁国的酋长/（英）安妮·格雷编著；朱红梅，丁林棚译. —北京：中译出版社，2023.6

（关于人生这场旅行的四件小事）

书名原文：FOOD FOR THOUGHT

ISBN 978-7-5001-7305-2

I. ①布… II. ①安… ②朱… ③丁… III. ①世界文学－现代文学－作品综合集 IV. ①I11

中国国家版本馆CIP数据核字（2023）第021276号

Food for Thought
This collection first published 2020 by Macmillan Collector's Library an imprint of Pan Macmillan

著作权合同登记号：图字01-2022-2728

布丁国的酋长
BUDINGGUO DE QIUZHANG

出版发行： 中译出版社
地　　址： 北京市西城区普天德胜大厦主楼 4 层
电　　话： （010）68359827，68359303（发行部）；68359725（编辑部）
传　　真： （010）68357870　　**邮　　编：** 100088
电子邮箱： book@ctph.com.cn　　**网　　址：** http://www.ctph.com.cn

出 版 人： 乔卫兵　　**总 策 划：** 刘永淳
策划编辑： 范祥镇　王诗同　　**责任编辑：** 范祥镇
文字编辑： 王诗同　　**版权支持：** 马燕琦
营销编辑： 吴雪峰　董思嫄　　**封面设计：** 黄　浩　Kay

排　　版： 北京中文天地文化艺术有限公司　　**印　　刷：** 北京顶佳世纪印刷有限公司
经　　销： 新华书店

规　　格： 710 mm×1000 mm　1/32
字　　数： 121千字　　**印　　张：** 8.625
版　　次： 2023年6月第一版　　**印　　次：** 2023年6月第一次

ISBN 978-7-5001-7305-2　　**定　　价：** 32.00元